Walter Schmitz

Max Frisch: Das Spätwerk (1962–1982)

Eine Einführung

Francke Verlag Tübingen

CIP-Kurztitelaufnahme der Deutschen Bibliothek

Schmitz, Walter:
Max Frisch: das Spätwerk (1962–1982): e. Einf. /
Walter Schmitz. – Tübingen: Francke, 1985.
(UTB für Wissenschaft: Uni-Taschenbücher; 1351)
ISBN 3-7720-1721-5

NE: UTB für Wissenschaft / Uni-Taschenbücher

Einbandgestaltung: H. Krugmann, Stuttgart
Satz und Druck: Gulde-Druck GmbH, Tübingen
Verarbeitung: Braun + Lamparter, Reutlingen

Uni-Taschenbücher 1351

Vorbemerkung

Diese Studie will eine Einführung in Max Frischs Spätwerk geben; deshalb versucht sie, zuerst einmal die Texte genau zu lesen. Eine genaue und lohnende Lektüre dieses späten Werkes setzt jedoch die Kenntnis des früheren voraus, weil Frisch jetzt kommentarlos die Schlüsselworte und Kennmotive, wie er sie einmal in seinen Stücken bis hin zu ANDORRA, im ersten TAGEBUCH, im STILLER und im HOMO FABER, geprägt hatte, verwendet und auf jede neuerliche Entschlüsselung verzichtet. Unsere kommentierende Lektüre weist demnach nicht etwa die üblichen Motivkonstanten, sondern genau kalkulierte Selbstzitate nach: Die scheinbaren Wiederholungen des Früheren wollen nicht etwa als Einfallslosigkeit des alternden Autors *bewertet*, sondern als bewußte Esoterik eines Alterswerkes *verstanden* werden, und dies Buch soll zu einem solchen Verständnis anleiten.
Freilich ist es unmöglich, auf diesem begrenzten Raum die Fülle der Querverbindungen, die ja auch in das Werk anderer Autoren reichen, vollständig und systematisch aufzuweisen. Wir müssen uns deshalb mit einer Skizze begnügen, die aber vielleicht die Lust zu weiteren Entdeckungen weckt. Dabei mögen die Hervorhebungen von sinntragenden Leitworten in den ausführlich zitierten Texten und Dokumenten ebenso hilfreich sein, wie die einfachen Anführungszeichen als optisches Signal solcher Sinnträger in anderen Zusammenhängen unserer Argumentation. Auch die Literaturangaben dienen nur als Wegweiser zur weiteren Information.
Gelegentlich wünscht sich die Kritik, gleichsam in einer verständlichen Verabsolutierung ihres Amtes, auch den “kritischen Autor”, der am literarischen Werk auch sogleich eine bessere oder gar die “richtige” Beurteilung seiner Inhalte

entwickele. Zweifellos wäre, da Max Frisch – in seinem Spätwerk wie stets – so zentrale und wichtige Fragen wie das Verhältnis von Moral und Politik, Literatur und Öffentlichkeit, Individuum und Gesellschaft und sogar von Leben und Tod anspricht, eine kritische Auskunft über die richtige Behandlung dieser Themen sehr erwünscht. Doch wird sie der Leser in diesem Buch nicht finden. Vielleicht wird er die Art und Weise, wie Max Frisch solche Fragen stellt, besser verstehen lernen und aus einer solchen begrifflichen Anstrengung dann auch lernen, wieviel Mühe und Kenntnis erforderlich sind, um eine eigene Ansicht jener "großen Fragen" so zu entwickeln, wie es Frisch versuchte. Denn um mehr als eine Ansicht und ernsthafte Meinung kann es sich ja ohnedies nicht handeln. Unredlich (und, wie die Erfahrung zeigt, auch dem Denken hinderlich) ist deshalb wohl mancher Versuch, die Weltanschauung des Interpreten zum Programm der Interpretation zu erheben. Ich hoffe vielmehr daß der Gedankengang in diesem Buch so offen und überprüfbar ist, daß jeder, der es liest, leicht seine eigene Position entwickeln und abgrenzen kann.

Gerne möchte ich zum Abschluß allen danken, die mit ihrer Hilfe, Belehrung und Kritik dieses Buch ermöglichten und förderten: Zuerst und vor allem Max Frisch, namentlich auch Dr. Thomas Anz (Müchen), Prof Dr. Wolfgang Frühwald (München), Bettina Kranzbühler (München), Walter Obschlager (Max Frisch Archiv an der ETH Zürich) und Dr. Friedrich Vollhardt (München).

München, im Oktober 1984. *Walter Schmitz*

Inhalt

I. Einleitung: Voraussetzungen des Spätwerks

Indem wir von einem Spätwerk Max Frischs sprechen, setzen wir voraus, daß sich äußere Kriterien für eine solche Abgrenzung vom Vorhergegangenen angeben lassen (I) und daß sie zumindest durch eine neue Qualität der "späten" Werke gerechtfertigt wird (II); überdies sollte dies "Neue", um als das Spätere anerkannt zu werden, sowohl in einem plausiblen Folgeverhältnis zum Früheren stehen (III) als auch einige derjenigen Merkmale aufweisen, die wir bei anderen Autoren in einem Spätwerk zu finden gewohnt sind (IV).

I. Zwar tragen seit 1950 lebensgeschichtliche Details nur wenig zu einer genaueren Analyse der Werke Max Frischs bei; so mag der Leser des STILLER etwa ruhig auf die Information verzichten, daß sich der Autor des STILLER 1950 in Spanien, 1952 aber mit einem Stipendium der Rockefeller Foundation in den USA und Mexico aufhielt; – und daß er 1956 die amerikanische Reiseroute Walter Fabers selbst abgefahren hat, spielt für ein angemessenes Verständnis des Roman-Berichtes kaum eine Rolle: Max Frisch hat sich einmal einen "Notwehrschriftsteller" genannt[1], der seine Erlebnisse nicht gestaltet, um sie zu steigern, sondern um sie zu bannen, um seine Figuren das ausstehen zu lassen, was er für sich selbst allenfalls befürchtet; das Privatleben bietet stoffliche Anlässe, aber nicht den Schlüssel für das Werk. Der Beginn jener »späten« Werkphase läßt sich allerdings, so deutlich wie sonst kaum einmal bei Max Frisch, an seinem Lebenslauf ablesen: Die endgültige Umsiedlung nach Rom markiert ihn – und eine fast vier Jahre währende Pause, die der Vorbereitung des Romans MEIN NAME SEI GANTENBEIN gewidmet ist. Das Buch erscheint 1964; darauf folgen, mit dem Höhepunkt im

Jahr der internationalen Studentenrevolte 1968, mannigfache kleinere Schriften zum Zeitgeschehen wie zur Poetik, die zum Teil in das TAGEBUCH 1966–1971 aufgenommen werden; und überdies wird 1967 BIOGRAFIE: EIN SPIEL uraufgeführt – ähnlich dem nicht realisierten Filmprojekt von 1966, ZÜRICH TRANSIT, das von einer Szene des GANTENBEIN-Romans ausgegangen war, ist dies ein dramatisches Seitenstück zu dem großen Erzählwerk. Im TAGEBUCH 1966–1971 kehrt Frisch zu jener Form zurück, die seinen Ruhm begründet hat, und erprobt gleichsam, ob nun darin auch die eigene Biographie ein "Spiel" sei und sein dürfe. Die beiden, in diesem TAGEBUCH vereinten Komponenten – Autobiographie und politische Kritik am Exempel Schweiz – scheinen auseinanderzutreten in die parodistische Demontage des Nationalmythos von Wilhelm Tell einerseits (1971), andererseits die "Erinnerungen eines alten Mannes"[2], wie eine effekthaschende Umschreibung der Literaturkritik für die autobiographische Erzählung MONTAUK (1976) lautete. Uns warnt jedoch das 1974 vorgelegte DIENSTBÜCHLEIN, allzu leichtgläubig dem Vorurteil zu verfallen, daß sich Frischs "politische Haltung relativ einfach abspalten läßt von seinem literarischen Werk"[3].

Obschon nun seit MONTAUK die Veröffentlichungen Frischs auf respektvoll schweigendes oder gar lobendes Unverständnis stoßen, wollen wir allein deshalb mit dem TRIPTYCHON (1978), den Erzählungen DER MENSCH ERSCHEINT IM HOLOZÄN (1979) und BLAUBART (1982) keine neue Epoche in seinem Werk anheben lassen; immerhin war auch das TAGEBUCH schon mißverstanden worden[4]. Jene jüngsten Werke sind allerdings in ihrer Esoterik so radikal, daß wir sie tatsächlich als einen – anscheinend wirksamen – Protest Max Frischs gegen die Konsumgewohnheiten des literarischen Marktes begreifen müssen, eine Auffassung, die er uns gesprächsweise einmal bestätigt hat. Dieser Protest ergibt sich indessen aus Erfahrungen mit der Öffentlichkeit, wie sie seit dem GANTENBEIN besonders eindringlich formuliert wurden.

II. Die Isolation des Einzelnen in der Öffentlichkeit ist freilich in Frischs Werk kein unerhörtes Thema, vielmehr die – vielleicht selten beachtete – Ergänzung zu jenem "Identitätsproblem", das zu seinem "Warenzeichen" aufstieg[5]. Daß "Öffentlichkeit" die "Einsamkeit außen" sei, hatte er – mit einem Zitat seines frühen Vorbildes, des Schweizer Schriftstellers Albin Zollinger – immerhin schon 1958 in einer Rede formuliert, deren Titel ganz andere Hoffnungen weckte: ÖFFENTLICHKEIT ALS PARTNER. Wenn dieser Partner sich eben wie ein launischer Ehepartner gebärdet, wenn er sich entzieht oder gar feindlich zeigt, so gerät der Einzelne in die Außenseiter-Rolle, verliert das naive Selbstverständnis und wird für das von außen aufgedrängte "Bildnis" und Vorurteil anfällig. Diesen sozial-psychologischen Mechanismus hatte das Stück ANDORRA endgültig modellhaft vorgeführt[6].

Der junge Andri wählt sich eine Lebensgeschichte: Er will Tischler werden und seine Pflegeschwester Barblin heiraten. Das Kollektiv der Andorraner jedoch zerstört diesen Entwurf, weil Andri als Jude gilt und deshalb weder einen andorranischen Beruf ausüben noch ein andorranisches Mädchen lieben soll. Andri akzeptiert nun dieses "Bildnis" und macht es sich zu eigen als die "Wahrheit" seiner Existenz; er nimmt sein Schicksal als Jude auf sich bis zur Hinrichtung durch die Invasionsarmee der feindlichen, antisemitischen "Schwarzen".

Die "Würde des Menschen", so hieß es im ersten TAGEBUCH, bestehe in der "Wahl" (II, 488); die Andorraner entziehen Andri diese Würde, indem sie ihn zwingen, zu sein, was sie glauben:

> Du sollst dir kein Bildnis machen, heißt es, von Gott. Es dürfte auch in diesem Sinne gelten: Gott als das Lebendige in jedem Menschen, das, was nicht erfaßbar ist. Es ist eine Versündigung, die wir, so wie sie an uns begangen wird, fast ohne Unterlaß wieder begehen –
> Ausgenommen wenn wir lieben.

Diese berühmte Stelle – sie wurde an den Schluß der Vorstufe des Bühnenstückes, einer Skizze DER ANDORRANISCHE JUDE, gestellt – hat den gesamten Aufsatz DU SOLLST DIR KEIN BILDNIS MACHEN, der ebenfalls, kurz zuvor, ins TAGEBUCH integriert ist, etwas in Vergessenheit geraten lassen, obschon Frisch auch dort seinem Bühnenstück vorgreift:

> Wir halten uns für den Spiegel und ahnen nur selten, wie sehr der andere seinerseits eben der Spiegel unseres erstarrten Menschenbildes ist, unser Erzeugnis, unser Opfer –. (II, 371)

Dieser "Spiegel" steht metaphorisch für die Dramaturgie des Schauspiels ANDORRA. Die gesamte Bühne wird dort zu einem solchen "Spiegel", und zugleich haben die Andorraner Gelegenheit, ihr "erstarrtes Menschenbild" in Vordergrundszenen zwischen den einzelnen Spiegel-"Bildern" zu verteidigen. Diese doppelte Spiegelung – erst das Bild, dann die Reflexion, das erneute Abbild, – entspricht natürlich einem psychologischen Mechanismus: Die Andorraner formulieren die Version ihrer bewußten Erinnerung, während die Bühnenhandlung im Hintergrund die verdrängte Wahrheit des Unbewußten vorführt. Dies ist Frischs Variante des "Bewußtseinstheaters". In fast allen seiner Stücke agieren verkörperte Inhalte der menschlichen Psyche, und der Schauplatz ist immer die menschliche Seele (vgl. GW II, S. 217ff.).
Bereits im ersten, SANTA CRUZ, tritt eine Gestalt auf, deren Aufgabe jener Aufsatz DU SOLLST DIR KEIN BILDNIS MACHEN prägnant benennt: "Wir sind die Verfasser der andern" (II, 371). Damals war dies der Poet Pedro; in seinem Bewußtsein formten sich die auf der Bühne vorgestellten Bilder, und zugleich wurde er in diese Bilder aufgenommen und verstrickt, so daß sich das Geschaffene gegen den Schöpfer kehrte. Einen ähnlichen Mechanismus – die Erschaffung einer oft unliebsamen, zukünftigen Wirklichkeit durch das Wort – entdeckt Max Frisch in der Dichtung wie in der Realität:

Kassandra, die Ahnungsvolle, die scheinbar Warnende und nutzlos Warnende, ist sie immer ganz unschuldig an dem Unheil, das sie vorausklagt?
Dessen Bildnis sie entwirft.
Irgendeine fixe Meinung unsrer Freunde, unsrer Eltern, unsrer Erzieher, auch sie lastet auf manchem wie ein altes Orakel. Ein halbes Leben steht unter der heimlichen Frage: Erfüllt es sich oder erfüllt es sich nicht. Mindestens die Frage ist uns auf die Stirne gebrannt, und man wird ein Orakel nicht los, bis man es zur Erfüllung bringt. Dabei muß es sich durchaus nicht im geraden Sinn erfüllen; auch im Widerspruch zeigt sich der Einfluß, darin, daß man so nicht sein will, wie der andere uns einschätzt. Man wird das Gegenteil, aber man wird es durch den andern.

Im Bühnenstück ANDORRA forcieren alle "*And*eren", die *And*orraner, dies, indem sie den einen Außenseiter, den nun sogar der Vorname als "Anderen" aus dieser Sicht des Kollektivs abstempelt, auch noch "Jud" nennen[7]. Uns verrät die Namensgleichung von "Andri" und "Andorraner", daß jedem das "Anders"-Sein anhaftet, eben weil jeder zum "Selbst-Sein" und damit zur Abweichung gegenüber den Anderen berufen ist. Erst wenn diese Andersartigkeit verdrängt wird, kommt es zur Entfremdung – in Selbstgefälligkeit und 'Blindheit' bei denen, die ihre angebliche Normalität als Norm durchsetzen können, – oder bei den Schwächeren im Selbstverlust. Dem "Juden" Andri wird so oft vorhergesagt, was er tun soll und was er tun wird, bis er diese Prophezeihungen freiwillig erfüllt:

Immer muß ich denken, ob's wahr ist, was die andern von mir sagen [...] (An 505)
Wenn sie sehen könnten, wie sie recht haben: alleweil zähl ich mein Geld! (S. 499)
Seit ich höre, hat man mir gesagt, ich sei anders, und ich habe geachtet drauf, ob es so ist, wie sie sagen. Und es ist so [...]: Ich bin anders. [...] Ich bin im Unrecht gewesen [...] allezeit. [...] Meine Augen sind groß von Schwermut, mein Blut weiß alles, und ich möchte tot sein. (S. 526f.)

Dieses Motiv der 'Taufe' – jemand erhält einen (sprechenden) Namen, der künftig sein Rollen-Verhalten steuert – ist eine Konstante im Werk Frischs: Don Juan etwa tut, was seine Umwelt von einem "Don Juan" erwartet und ihm souffliert; Andri ist "anders" als die Andorraner und gehört doch zu ihnen durch sein "andorranisch"-starres Selbstbildnis; dafür ist sein "echtes", von Geburt andorranisches "Blut" ein Zeichen.

ANDORRA ist nun also auch ein Stück über das Sprechen und die Sprache; denn das tödliche 'Bildnis' wird sprachlich artikuliert. Die stummen "Schwarzen" aber, die Andri dann ermorden, sind keineswegs anders als die beredten Andorraner. Während nämlich die Andorraner lügen, führen die Schwarzen aus, was mit diesen verlogenen Reden wirklich gemeint war, und verraten so dem Zuschauer die wahre Gestalt der andorranischen Unwahrheit. "Geht einmal euren Phrasen nach, das alles habt ihr gesprochen. Es ist die mimische Übersetzung eurer Worte." Auf diese Einsicht Georg Büchners hat Max Frisch sich immer wieder berufen und diesen Argwohn gegen die Sprache zum Grundsatz seiner Poetik gemacht[8].

In seinem TAGEBUCH wurde, 1946, noch eine Hoffnung angeboten:

> Es ist bemerkenswert, daß wir gerade von dem Menschen, den wir lieben, am mindesten aussagen [!] können, wie er sei. Wir lieben ihn einfach. Eben darin besteht ja die Liebe, das Wunderbare an der Liebe, daß sie uns in der Schwebe des Lebendigen hält, in der Bereitschaft, einem Menschen zu folgen in allen seinen möglichen Entfaltungen. [...] Die Liebe befreit aus jeglichem Bildnis. (II, 369)

Diese Hoffnung auf eine Liebe ohne Sprache ist utopisch. In ANDORRA wird die Liebe, wie alles andere, in den Teufelskreis des Bildnisses gezerrt. Das Wort macht zwar 'Geschichte', aber diese Geschichte resultiert in der Zerstörung des

Lebens und damit ihrer eigenen Voraussetzung. Das TAGEBUCH-Zitat (S. 478) vom Beginn des Johannesevangeliums wirkt, von ANDORRA aus, wie ein Hohn: Die Schöpfungsgeschichte verkehrt sich zur Todesgeschichte; das Wort agiert als Phrase. Dies betrifft die Dichtung – und damit das Kunstwerk ANDORRA – ebenso. Sprachkunst widerlegt sich selbst, da sie Bildnisse produziert. Solche Sprachskepsis erlaubt dem Autor Frisch vorerst nur zwei Verhaltensweisen: Verstummen oder Neubeginn.
Freilich beugt Frisch sich dieser Alternative nur, indem er sie verwandelt. Das 'Neue' besteht darin, daß er mit dem Sprachzweifel ernst macht. Zuvor ging er davon aus, daß die Sprache immer noch einen Bezug zur Wirklichkeit sucht, und die Sprachverzweiflung reagiert auf eben diesen Mangel. Nun, seit dem Roman MEIN NAME SEI GANTENBEIN, wird akzeptiert, daß die Sprache nicht nur selbsttätig, sondern völlig autonom ist – ein Spielraum der Fiktion, die eigenen Gesetzen folgt (s. u.). Die Verzweiflung weicht daher einer skeptischen Gelassenheit des Sprachkünstlers gegenüber einer unerkennbaren Welt.
III. Der neue Anfang ist, obschon Frisch sich dies gewünscht hätte, keineswegs voraussetzungslos. Seit den vierziger Jahren kreisen seine Werke ja um die Bedingungen individueller Existenz und entwickeln, zunächst tröstend, ein existenzielles Vokabular, um diese Bedingungen: typische Situationen (1), Erfahrungen (2), Handlungen (3) und Ziele (4) zu benennen; Frisch ist dabei von der zeitgenössischen Existenzphilosophie in Deutschland (Jaspers, Heidegger) und dem französischen Existenzialismus (Sartre, später Camus) beeinflußt.
1. Die menschliche Situation geht im 'uneigentlichen Dasein' auf: Man lebt in Rollen, nicht als je einmaliges "Ich selbst". 'Rolle' meint ein von außen fixiertes Verhaltensschema und ist insofern gleichwertig mit 'Bildnis'. Entweder kann der Akzent darauf liegen, daß ein äußeres Rollenangebot verinnerlicht und zur Bewußtseinsrolle wird, oder aber – wie meist

im Spätwerk – auf dem gesellschaftlichen Rollenschema selbst; einer solchen 'Rolle' tritt das 'Ich' dann wie ein 'Schauspieler' gegenüber[9].

2. Das uneigentliche Dasein ist je und je für Störungen anfällig. Zwar finden wir bei Frisch immer wieder bürgerliche Figuren, die sich in ihrem beschränkten Welt-'Bild' recht behaglich eingerichtet haben; Herr Biedermann gehört hierher, aber auch die Andorraner als eine bösartigere Variante. Andere Figuren werden plötzlich ihres verfehlten Daseins inne; sie erfahren die Wirklichkeit des Todes und vermissen angesichts dieser Zukunft endlich ihr wirkliches Selbst in der Gegenwart. Den Einbruch dieser Erfahrung in die alltägliche Selbsttäuschung nennt Frisch: 'Schrecken'. Zuerst formuliert wird dies im Kriegstagebuch BLÄTTER AUS DEM BROTSACK von 1939; angesichts des drohenden Weltuntergangs verliert auch das Tagebuch-Ich jeden Halt; nichts ist beständig, weder äußere noch innere Wirklichkeit, und diese *Vision der völligen Vernichtung des Selbst* macht die negative Mystik des 'Schreckens' aus: Freilich kam in Frischs Werk die Sicherheit der echten, religiösen Mystik abhanden, daß ein göttlicher Schöpfer seine Kreatur aus der Todverfallenheit erlösen werde.

3. Aufgestört durch den 'Schrecken' glauben sich die Figuren vor eine 'Wahl' gestellt. Indem sie begreifen, wie viele 'Möglichkeiten' ihres Lebens sie versäumt haben, entscheiden sie sich für ein neues, 'anderes Leben'. Doch stellt sich bald heraus, daß diese Wahl wieder eine Festlegung einschließt, die andere Möglichkeiten ausschließt, – daß sich also das Denk-Mögliche und das Real-Mögliche niemals decken können. Aus dieser Differenz entsteht die unstillbare 'Sehnsucht', vor allem der frühen Frisch-Figuren. Unablässig durchlaufen sie die Abfolge von: 'Rolle' – 'Schrecken' – 'Wahl' – 'Rolle', bewegen sich sinnlos zwischen Aufbruch und Resignation.

4. Ihr Ziel, das 'wirkliche Leben', erreichen sie nie:

> "Herr Doktor", sage ich, "es hängt alles davon ab, was wir unter Leben verstehen! Ein wirkliches Leben, ein Leben, das sich in etwas Lebendigem ablagert, nicht bloß in einem vergilbten Album, weiß Gott, es braucht ja nicht großartig zu sein, nicht historisch, nicht unvergeßlich, es kommt nicht auf unsere Bedeutung an. Daß ein Leben ein wirkliches Leben gewesen ist, es ist schwer zu sagen, worauf es ankommt. Ich nenne es Wirklichkeit, doch was heißt das! Sie können auch sagen: daß einer mit sich selbst identisch wird. Andernfalls ist er nie gewesen! Sehn Sie, Herr Doktor, das meine ich: ein Gewesen-Sein, und wenn's noch so miserabel war, ja, am Ende kann es sogar eine bloße Schuld sein" [...] (St 416f.)

> Man kann alles erzählen, nur nicht sein wirkliches Leben; – diese Unmöglichkeit ist es, was uns verurteilt zu bleiben, wie unsere Gefährten uns sehen und spiegeln. (St 416)

Jedenfalls unterscheidet sich das 'gewöhnliche' letztlich vom 'wirklichen' Leben. Stiller umschreibt in unserem Zitat doch recht eng die beiden Bedingungen:

- einmal ist eine Beziehung gemeint: mit sich selbst identisch werden. Offenbar gibt es Teile der Persönlichkeit, die nicht zum 'Selbst' gehören – eben die verinnerlichten 'Rollen' und 'Bildnisse', die andere von uns haben und uns aufdrängten.
- dann wird aber eine Zeitqualität gefordert: Nicht sein, sondern "werden"; nicht der bloße Augenblick, sondern die Vergangenheit in der Gegenwart: "*gewesen sein*".

Wer 'wirklich' lebt, erlebt also bewußt die Zeitlichkeit seines Daseins und bereitet sich damit auf einen wirklichen 'Tod' vor, seinen 'eigenen'. Diese Art 'Wirklichkeit' ist die einzig echte und 'wahre'; die Andorraner leben demnach in der Unwahrhaftigkeit, und das scheinbare Paradox eines 'toten Lebens' gewinnt daraus seinen Sinn.
Der Interpret von Frischs Werken wird sich solcher Begriffe und Definitionen um so lieber bedienen, als sie vom Autor selbst vorgeschlagen werden und sogar die poetischen Werke

solche Auslegungsschemata freigebig anbieten: Stiller erläutert das 'wirkliche Leben', Julika zitiert das berühmte 'Bildnis'-Verbot (III, S. 467, 499) ebenso erklärt Don Juan sein merkwürdiges Gebaren dem Freund Rodrigo:

> Sei nicht wißbegierig, Roderigo, wie ich! Wenn wir die Lüge einmal verlassen, die wie eine blanke Oberfläche glänzt, und diese Welt nicht bloß als Spiegel unseres Wunsches sehen, wenn wir es wissen wollen, wer wir sind, ach Roderigo, dann hört unser Sturz nicht mehr auf, und es saust dir in den Ohren, daß du nicht mehr weißt, wo Gott wohnt. Stürze dich nie in deine Seele, Roderigo [...]. (S. 133)

Solche Verwirrung hatte ihn nämlich auf dem Ritt zu seiner Braut überfallen; angesichts der Mauern von Sevilla hockte er stundenlang an einer Zisterne, "bis es dunkel wurde":

> Da draußen an der Zisterne mit dem Spiegelbild im schwarzen Wasser – du hast recht, Roderigo, es ist seltsam . . . Ich glaube, ich liebe. [...] Aber wen? (S. 104)

Überdies wird später im Stück auch die Farbe 'schwarz' aufgeschlüsselt:

> Schwarz wie der Tod, Herzogin, sind Sie in meinen Spiegel getreten. Es hätte solcher Schwärze nicht bedurft, um mich zu erschrecken. Das Weib erinnert mich an Tod, je blühender es erscheint.

Der Kommentar scheint lückenlos: Don Juan wurde die Erfahrung des Todes zuteil; und, indem ihn der Schrecken aus seiner Selbstbespiegelung riß, glaubt er, eine Erkenntnis seiner Wahrheit gewonnen zu haben, auf die er sich nun fixiert. Wir werden darauf noch zurückkommen.
Jedenfalls zeichnet dieses Schillern zwischen essayistischer Definition und poetischer Bildlichkeit den Stil Frischs nicht nur in seinem ersten TAGEBUCH aus. Konkretes wird zu

definierten Zeichen: die "Welt" – ein "*Spiegel* unseres Wunsches" (s.o.); umgekehrt wählt Frisch seine abstrakten existenziellen Vokabeln doch so doppelsinnig, daß auch ein Gegenstand evoziert wird: eine 'Rolle' – aus Papier, unterm Arm zu tragen; ein 'Bildnis' – vom Maler gemalt oder von einem Bildhauer (wie Stiller) angefertigt oder von einem 'Spiegel' (wie der Bühne in ANDORRA) reflektiert[10]. Zumindest diese Übersetzung des existenziellen in ein poetisches Vokabular müßte also untersucht werden, ehe man sich auf die offenbaren Kommentare der Figuren verläßt.
Im zweiten TAGEBUCH (VI, 365–374) findet sich eine seltsame Geschichte.

Lapidar wird von einem "Er" berichtet, der versucht, "Anzeige [...] gegen sich selbst zu erstatten", und abgewiesen wird (1); er ist Professor für Architektur (Statik), "zeigt immer Lichtbilder: Risse im Beton [...]. Sein Spitzname: Der Riß" (2); auf der Polizeiwache antwortet er auf Fragen nicht: "wie jemand, der nicht weiß, wieso er an diesem Ort erwacht" (3); er wird krank; nach seiner Genesung erklärt er strikt, nie etwas von Statik verstanden zu haben (4).

Diese Geschichte wirkt vielleicht ebenso rätselhaft wie faszinierend. Warum will dieser Mann sich anzeigen? Warum die beruflichen Einzelheiten? Der Spitzname? Die Krankheit? – Schon Don Juans Abenteuer verstehen wir leichter, wenn uns die Gleichwertigkeit von 'Schrecken' und 'Sturz', die dort vorausgesetzt wird, tatsächlich bekannt ist; der Leser früherer Werke Frischs weiß von dieser Äquivalenz, weil an verschiedenen Stellen einmal für den 'Schrecken', dann für den 'Sturz' dieselbe Definition angeboten wurde: Begegnung mit dem Tod. In der TAGEBUCH-Geschichte fehlt aber jeder Querverweis vom poetischen auf das existenzielle Vokabular; jetzt wird vom Leser erwartet, daß alle Äquivalenzen, wie sie früher einmal formuliert wurden, bekannt sind:

1. Die Selbstanzeige zielt auf ein 'Gericht' (367), ohne daß der Delinquent daran glaubt; Aufgabe des Gerichts ist nämlich – seit

dem *Stiller* – die Wahrheitsfindung; die 'Wahrheit' ist aber der Inbegriff des 'wirklichen Lebens' und kann deshalb nur erlebt, nicht aber von einer äußeren Instanz dekretiert werden.

2. Die Wahrheit, so heißt es gelegentlich (G Bienek 28) – sei 'ein Riß durch den Wahn', der 'Riß' ist demnach äquivalent mit dem Einbruch des 'Schreckens'. Nicht wahrhaftig aber ist die bürgerliche Lebensform, das "behauste Leben" (II, 76): Deshalb müssen die 'Risse' im Beton der 'Häuser' auftreten.
3. Der Schläfer, dem seine gewohnte Welt abhanden kommt, ist eine Sagenfigur – Rip van Winkle; von ihm wird ausführlich im STILLER (Mb St 153ff.) erzählt. 'Erwachen' meint nun einen Zustand nach dem Einbruch des 'Schreckens', wenn die vertraute Welt sich zur Chiffre des Todes verfremdet. Der Erwachte ist "nimmer zu Hause in seiner Welt" (ebd.), und seine Vergangenheit kommt ihm wie ein Traum vor. So erkannte Rip van Winkle seine frühere Heimat nicht wieder.
4. Am Schluß entpuppt sich unsere Erzählung insgesamt als Variation über eine frühere, aus dem ersten TAGEBUCH: Dort war der Rechtsanwalt Schinz dem "Absoluten" begegnet, ohne daraufhin sein Leben radikal zur 'Wahrheit' hin verändern zu können. Orientierungslos verfällt er in eine schwere Krise – die 'Krankheit' – und "erwacht" daraus aufs neue, völlig hilflos. So ist auch unser Architekt aus der bürgerlichen Welt gefallen und versteht ihre 'Statik' nicht mehr. Er hat die Nichtigkeit seiner Lebensform erfahren, zweifelt aber dennoch an der Möglichkeit eines 'wirklichen Lebens' und resigniert vor der Wahrheitsfindung, seiner Aufgabe; deshalb verharrt er in Desorientierung und völliger Unsicherheit.

Obschon manche dieser poetischen Vokabeln mehrdeutig sind, können wir doch ein kleines Lexikon zusammenstellen, das die wichtigsten Sinnzuweisungen enträtselt; einige weitere werden wir an ihrem Ort nachtragen:

1) die FARBEN	'blau'	:	die Farbe der Geistes, der Sehnsucht
	'rot'	:	die Farbe des biologischen Lebens

2) die JAHRESZEITEN	'Frühjahr'	:	Anfang, Jugend
	'Sommer'	:	Zeitlosigkeit
	'Herbst'	:	Reife, Vergänglichkeit, Todesnähe
3) die NATÜRLICHEN RÄUME	'Meer'	:	die Weite alles Möglichen (dazu die Grenzlandschaften: 'Strand', 'Küste')
	'Insel'	:	der Ort des 'wirklichen Lebens' (dazu weitere ferne Wunschorte: 'Peking', 'Peru')
	'Wüste'	:	das uneigentliche Dasein
	'Wald'	:	das eintönige Innere des Alltagsmenschen
4) die SOZIALEN RÄUME	'Haus'	:	das bürgerliche Leben
	'Schloß'	:	das fixierte bürgerliche Leben, Eingeschlossen-Sein (verschärft zum: 'Gefängnis')
	'Villa'	:	die großbürgerliche Lebensversion
5) die BEWEGUNG UND IHRE HILFSMITTEL	'Reise'	:	die Lebensreise, Fahren als Sammeln von Erfahrung
	'Schiff'	:	das je individuelle Leben
	'Galeere'	:	das Arbeitsleben
	'Auto'	:	die soziale Identität
6) KLEIDER		:	Rollen

Daneben noch bekannte psychologische Symbole, etwa das 'Pferd' als Inkarnation vitaler Kräfte, das notorische 'Gewehr' als Potenzchiffre[11], und andere, vereinzelte, aber wohl definierte Zeichen, wie der 'Schnee' der frostigen Alltäglichkeit und der 'Blitz' – ein "Riß durch die Nacht" (vgl. MFW 129), der analog dem "Riß durch den Wahn" eben die 'Wahrheit' bedeutet; ein wahrhaftiger 'Riß' findet sich natürlich auch in den Rollen-'Kleidern'. Erst später kombiniert Frisch dieses poetische Zeichen auch mit dem 'Haus' – das poetische Vokabular hat also eine eigene Syntax, die vom Autor auch immer weiter ausgebaut wird.

So wird erst im Spätwerk das Leitwort "Glück" in diesem Sinne kompositionsfähig. Es dient nicht nur als ironisch-positiver Titel einer TAGEBUCH-Erzählung (S. 333ff.), sondern vor allem wird jetzt die Negation "Unglück" von dem Motiv-Synonym 'Unfall' ausgedrückt: Ein 'Unfall' mit dem 'Auto' ist als "Unglück" die Chance zum "Glück", nämlich zum neuen Anfang frei von den Fesseln sozialer Rollen. Freilich bleibt es zumeist beim "Unglück" – man kommt mit dem 'Schrecken' davon und versäumt den Neubeginn: Die "Skizze" solchen "Unglücks" (s. u.) endet mit dem Tod.

Oben, bei der Entschlüsselung der TAGEBUCH-Erzählung, hatten wir ebenfalls bemerkt, daß Frisch nicht allein vereinzelte poetische Vokabeln als Sinnträger benutzt, sondern auch auf ganze Geschehniszusammenhänge anspielt, um sie als Verständnisfolie zu brauchen. Diese werden, durch regelmäßige Wiederkehr, zu *typisierten Handlungsmodellen*. Seit seinem ersten, sonst sehr unreifen Roman JÜRG REINHART hat Frisch – außer kleineren Schemata, wie der schon erwähnten 'Taufe' – drei solcher Handlungsmodelle entwickelt:
1. das Gerichtsmodell
2. das Wiedergeburtsmodell
3. das Erweckungs-/Erlösungsmodell.
1. Jürg Reinhart ist ein "halber Mensch" und kein erwachsener Mann: Er schämt sich vor der Frau. Den Geschlechtsakt fürchtet er. Als er mit einer Frau, die ihn liebt, konfrontiert wird, weicht er vor diesem Anspruch aus, anstatt die Herausforderung "männlich" zu bestehen. In panischer Unsicherheit und Angst unternimmt Jürg einen Selbstmordversuch, der jedoch mißlingt. Die Frau beurteilt sein Verhalten. In diesem Fall endet das 'Gerichtsverfahren' mit einem Freispruch; später lautet das Urteil stets auf "schuldig". Der

Mann muß seine 'Schuld' und damit seine Identität als 'Versager' annehmen.
2. Natürlich geht es Frisch nicht um pikante Sexualmotivik. 'Sexualität' steht bei ihm für die Fähigkeit, Leben zu schaffen, schöpferisch zu sein; sie ist eine Metapher des 'wirklichen Lebens'. Wer liebt, ist wahrhaft Mensch, und deshalb erinnert die geschlechtliche Liebe bei Frisch immer auch an die 'Wahrheit' und ist, getreu der biblischen Wendung: "sie erkannten einander", wirklich eine Form der 'Erkenntnis'. Neben dieser echten gibt es freilich auch eine unechte, sterile, egozentrische Form, die unserem alltäglichen Sprachgebrauch aber näher steht: die 'Reflexion' – etwa beim "reflektierten Don Juan" (III, S. 171), der sich narzistisch im 'Spiegel' betrachtet (s. o.). Doch auch bei dieser Erkenntnismethode büßt er sein altes Ich ein.
Seit dem Erstlingsroman bedeutet der Tod des alten Ich – metaphorisch: ein Selbstmord – die 'Geburt' eines neuen; dies neue Leben soll das wirkliche sein, das neue Ich nicht länger von Zweifeln und Minderwertigkeitsängsten geplagt, sondern mit sich selbst identisch sein. Für alle – männlichen – Helden Frischs schließt das aber den Bezug auf andere aus. Sie wollen ihr eigener 'Schöpfer' sein, wollen insbesondere der Frau nichts zu verdanken, sie vielmehr bloß als Mittel zum eigenen Zweck (oder, mit dem philosophischen Terminus von Kierkegaard: als Inzitament) benutzt haben. Der 'Mord' an der Frau signalisiert daher die Autonomie des wiedergeborenen Ich.

Stiller etwa steigt – nachdem er seinen Doppelgänger, den Versager, getötet hat – aus dem Mutterschoß der Erde als White ans Tageslicht: White nimmt die Metapher ernst und behauptet konsequent, seine Gattin getötet zu haben.

Hier verwickelt sich das Wiedergeburts- mit dem Gerichtsmodell: Die Frau bleibt nämlich weiterhin die letzte Instanz, und als Julika tatsächlich tot ist, gibt es niemand mehr, der

Stiller freisprechen könnte: Er bleibt lebenslänglich ein Versager, unverwandelt. Sein neues Ich war gleichsam nicht der legitime Sproß liebender Erkenntnis, sondern nur ein Bastard der Reflexion – einer Rückbesinnung auf sich selbst und des quälend-forcierten Willens zur 'Wandlung'.
Einer jener Männer, die "alles auf sich" beziehen (VI, 220), ist Viktor in der SKIZZE EINES UNGLÜCKS (Tb II 204–225). Mit seiner Geliebten reist er per 'Automobil' – Zeichen einer gemeinsamen Lebensform (s. o.) – durch die Provence. "Er haßt seinen Namen: VIKTOR" (214, Hervorh. M. F.), der uns allerdings verrät, daß er die Pose des 'Siegers' liebt; daß die Frau an ihm zweifeln kann, macht ihn unsicher. Im Bemühen, diese 'Unsicherheit' zu verdrängen und das mögliche 'Versagen' nicht einzuräumen, versagt er tatsächlich; bei dem Unfall mit Totalschaden, der daraus entsteht, kommt die Frau ums Leben: 'Viktor' bleibt 'Sieger' – und zum Selbsthaß verurteilt. In einem Nachtrag (S. 237) wird von der Revision seiner Versagensangst, von einem Wagnis, das alle Möglichkeiten ausschöpft, berichtet:

> So geht er schwimmen. Kein Boden unter den Füßen, der wolkenlose Himmel über dem Meer. Einmal möchte er es wissen. Er schwimmt hinaus, solange die Kräfte reichen, und sie reichen so weit, bis man kein Land mehr sieht.

Dieser Selbstmord ist definitiv, keine Metapher. Die Angst vor dem Möglichen und damit Unsicheren führte in Schuld; wer sich aber der Weite alles Möglichen (dem 'Meer') anheim gibt, verliert den "Boden unter den Füßen" und stürzt in die endgültige Wirklichkeit des Todes.
3. Viktor ist Arzt; sie war, ehe sie seine Geliebte wurde, seine Patientin. "Daß sie ihm ihr Leben verdanke, hat er [...] nie gemeint." (217) Damit ist indes sein heimlicher Wunsch ausgesprochen (die Negation verrät bei Frisch stets, daß jemand fasziniert ist von dem, was er verneint; und daß sich in der Faszination eine Bedrohung verbirgt). Wer sein Leben kei-

nem anderen verdankt und überdies anderen Leben schenken kann, ist völlig autonom; er ähnelt Gott, dem Schöpfer und Erlöser. Stiller etwa identifiziert sich in seinem Leid gern mit dem Gekreuzigten, in seinen Absichten mit dem Erlöser Christus. So will er hartnäckig die schöne Julika 'erwecken', wie Christus die Tochter des Jairus. Er ist freilich impotent und unschöpferisch; deshalb stirbt Julika, nachdem ihr Künstler-Gatte sie "in eine Vase verwandelt" (St 608), d.h. sich eben ein tödliches 'Bildnis' von ihr gemacht hatte, ausgerechnet an Ostern, dem Auferstehungstag. 'Erlösung' und 'Erweckung' sind Ziele, die zu verfolgen gerade das Gegenteil, den endgültigen Tod, bewirkt.

Diese Bildlichkeit des Lebens, von Zeugung und Tod, wird überdies auf die Dichtung angewendet und poetologisch interpretiert. Auch der Schriftsteller soll 'schöpferisch' sein und 'lebendige' Werke und Gestalten schaffen; das "Wort, das Geschichte macht", bedeutet die Verpflichtung des Geschichtenerzählers zum 'Wunder'. 'Versagt' er, so bleibt das Werk tot – ein Bastard bloßer Reflexion – und verfällt dem Verdikt als 'Bildnis'. Da aber sein Material, die fixierte Sprache, geradezu ein Inventar von 'Bildnissen' darstellt (s.o.), ist das Versagen zwangsläufig: Frischs Werke sind Dokumente der Verzweiflung. Die einzige Botschaft, die sich mitzuteilen lohnte: daß im Sprechen jegliche Wahrhaftigkeit vernichtet wird, können sie nicht aussagen. Rettung birgt allein die Liebe. Wie nämlich der Mann sich auf die Frau als seinen Partner beziehen müßte, so der Dichter auf sein Publikum: "Öffentlichkeit als Partner." Und wie der Mann vor dieser Forderung versagt, keine Liebe geben und kein Leben schaffen kann, so bleibt der Schriftsteller isoliert von der Öffentlichkeit und empfindet sie als "Einsamkeit außen".

Nun fragt es sich freilich, wieso der Autor Frisch seine Sprache verdächtigt, 'Bildnis' zu sein. "Alles Fertige", so lesen wir dazu, "hört auf, Behausung unseres Geistes zu sein" (II, S. 634), denn es wird wiederholbar und damit zum Zitat. Nachdem seine "allzu jugendlichen" Werke in den dreißiger

Jahren ihm zu fast trivialen Nachahmungen fremder Vorbilder geraten waren, arbeitet Frisch seit den BLÄTTERN AUS DEM BROTSACK bewußt mit "Überlieferung" (GW III, S. 152), und das, obgleich die literarische Tradition ihm als Inbegriff des Toten erscheinen mußte. Denn das Zitat ist ja doppelt fixiert – sprachlich und artistisch. So formuliert er etwa das Bild des Narziß an der Quelle, wie wir es im DON JUAN oben kennenlernten, nach dem Vorbild von Kleists Aufsatz *Über das Marionettentheater*. Dort findet sich überdies das romantische Paradox, dem Frisch zunächst vertrauen will: Aus schroffen Antithesen, so hofft er, wird doch die Synthese, die Versöhnung, entspringen. Beispielsweise soll zwischen dem eng fixierten 'Bildnis' und der 'Weite alles Möglichen' eben das 'wirkliche Leben' vermitteln; wir übersetzen dies ins poetische Vokabular: Im frühen Stück SANTA CRUZ leben die Menschen im 'Schloß', werden vom 'Meer' verlockt und träumen vom 'wirklichen Leben' auf einer 'Insel'. Erfüllte 'Gegenwart' wird stets als Grenze zwischen unveränderlicher Vergangenheit und offener Zukunft erlebt; das Kind, welches die Liebe bezeugt, entspringt aus der Geistsehnsucht des Männlichen einerseits, andererseits aus dem weiblichen, an den Stoff gebundenen Prinzip; die einmalige 'Form' der Dichtung verwirklicht sich als "tönende Grenze" zwischen dem Chaotisch-Unsagbaren und den Schablonen der geläufigen Sprache.

Allmählich aber verliert sich der Glaube an diese mittlere Zone des 'Lebens'. – Frischs Neigung, den Lebens-Begriff metaphorisch zu verwenden, seine Wertschätzung des 'Lebens' als "der Güter höchstes", die Attribute dieser Art 'Leben', wie Verwandlung und Unbeschreiblichkeit: Dies alles stammt ja aus der sog. "Lebensphilosophie", und vorzüglich in den Schriften Georg Simmels begegnen wir erstaunlichen Parallelen zu Gedanken Frischs, wie denn auch die Entlehnungen bei Autoren der Jahrhundertwende (Hugo von Hofmannsthal, Rilke, Thomas Mann), deren Werk von dieser Strömung erfaßt ist, besonders zahlreich sind[12]. Literatur

(Kunst) und Leben sind dort schon in strikten Gegensatz gestellt, und seit dem ersten TAGEBUCH neigt Frisch zu dieser Auffassung: "Man sagt, was nicht das Leben ist. Man sagt es um des Lebens willen" (S. 379). Eine Vermittlung zwischen den Antithesen in seinem Werk wird damit überflüssig, da ihnen das Wesentliche ohnedies gemeinsam ist: Sie stehen für das, "was nicht das Leben ist", das 'Bildnis', den 'Tod'. Deshalb können die gewöhnlich antagonistischen Positionen plötzlich austauschbar werden und ineinander umschlagen: Ein Phänomen, das künftig 'falsche Vermittlung' heißen soll. So ist wuchernde Fruchtbarkeit nur die Kehrseite des Verfalls und des Todes; so ist das Schweigen der Schwarzen nur ein anderer Modus des andorranischen Geredes.
Nicht unberührt bleibt davon die Identität. Zwar erklären schon Frischs romantische Quellen das 'Selbst' als Produkt einer Synthese von Bewußtsein und Unterbewußtsein; Kleists Aufsatz legt das präzise dar. Frischs eigentlicher Lehrmeister, bei dem er auch Vorlesungen hörte, ist der "Romantiker unter den Psychologen", Carl Gustav Jung, gewesen. Jung läßt das Selbst aus der fortschreitenden Integration verschiedener Archetypen resultieren, die sämtlich im STILLER vorgeführt werden. Stiller selbst ist ja ein introvertiert-gehemmter Typ; White ist, komplementär dazu, extrovertiert und lebt sich aus, wie es dem Archtyp des 'Schatten' entspricht. Julika, mit der er sich vereinen will, ist eine 'anima'-Figur, der Staatsanwalt Rolf gar, der die guten Lehren spendet, verkörpert den 'Alten Weisen'. Spätestens hier wird Frischs Ironie deutlich: Rolf plagiiert nämlich den entscheidenden Rat (sich selbst anzunehmen) aus dem Werk des dänischen Existenzphilosophen Kierkegaard. Was ein lebendiger Prozeß sein sollte, wird nun von 'totem Wissen' programmiert, und entsprechend endet der Roman mit Todesszenen. Die 'Vermittlung' zwischen den archetypischen Figurationen konnte nicht gelingen, weil diese Archetypen selbst nicht echt waren, sondern Plagiate; nicht nur Stiller

hatte sich ein 'Bildnis' gemacht, sondern auch Julika lebte nach dem Vorbild in einer illustrierten Zeitung.
IV. Das Kierkegaardsche Programm, sozusagen Stillers existenzielles Pflichtsoll, deckt sich aber mit früheren Forderungen Max Frischs. Selbst sein eigenes Werk fällt damit, sobald es einmal schriftlich fixiert ist, unter das Verdikt, 'Bildnis' zu sein, ohne daß der Autor nach Belieben nun etwas Neues und anderes schreiben könnte[13]:

> "Stellen Sie sich vor," erklärt Frisch einem Gesprächspartner auf die Frage nach seiner "Vorliebe" für bestimmte literarische Formen, ein Mann hat eine spitze Nase, und Sie fragen ihn zuhanden der Leser: woher kommt Ihre Vorliebe für eine spitze Nase? Kurz geantwortet: ich habe keine Vorliebe für meine Nase, ich habe keine Wahl – ich habe meine Nase.

So ist es konsequent, daß er bei seinen Themen bleibt, ohne die Verantwortung dafür zu übernehmen; er delegiert nun seinen Figuren die undankbare Aufgabe, als Lebensprogramm zu erproben, was ihr Verfasser einmal als das 'wirkliche Leben' beschrieben hatte. Don Juan und Stiller leben nach den Maximen, denen Frisch inzwischen mißtraut, weil er sie in seinem Tagebuch schon formuliert hatte. Deshalb neigen diese Experimentierfiguren zum Deklamieren ihrer Überzeugungen, und deshalb endet deren Anwendung ruinös. Dieses *Delegationsschema* ist eine Ursache dafür, daß die Entwicklung dieses Gesamtwerkes gleichsam in einer Spirale verläuft: Themen und Motive bleiben erstaunlich konstant, aber mit jeder Werkphase wird eine Bewertungsebene erreicht, von der aus alles Frühere zitierbar und deshalb 'unlebendig' erscheint. Im Spätwerk ist dieser Prozeß weit gediehen. Nochmals im zweiten TAGEBUCH (VI, 330–340) entdekken wir in der Erzählung GLÜCK eine Variation von Tolstois *Kreutzersonate*, angereichert mit manchen aus dem STILLER bekannten Motiven:
Der Erzähler, eifersüchtig, ein "primitiver Mensch", könnte

– obschon ihm das seine Gattin nicht zutraut – "sehr wohl ein Mörder sein" (334). Als er dann, von einem Mitreisenden dazu aufgefordert, mit der Erzählung seiner "wirklichen Geschichte" (339) anhebt, bricht Frischs Erzählung ab. Der Zug, in dem man 'reist', ist nicht Tolstois transsibirische, sondern eine innerschweizerische Lokal-Eisenbahn. "Räume unbekannten Lebens, unerfahrene Räume, Welt, die noch nicht geschildert worden ist, nennenswert als Fakt, das ist der Raum der Epik" (II, S. 554). Die Schweiz ist ein literarisiertes Land; Tolstoi konnte im 19. Jahrhundert erzählen, was sich dem Schweizer Autor des zwanzigsten verbietet – eben weil die Begebenheit schon einmal geschildert worden ist. Nach der Nennung der Fakten bleibt den Modernen nur noch die Reflexion. Das abrupte Verstummen, der Verzicht auf Mitteilung alles bereits Erfahrenen, ist die Stilgebärde des Spätwerkes, knapp vor dem völligen Schweigen. Die unkommentierten poetischen Vokabeln ('Reise') sind Chiffren der (literarischen) 'Erfahrung'.
Der alternde Autor, so sagt Andre Malraux in seiner *Psychologie der Kunst* wird radikal:

> Die höchste Verkörperung eines Künstlers gründet sich gleichermaßen auf die Absage an seine Meister wie auf die Vernichtung alles dessen, was er selbst einst gewesen war.

Gottfried Benn, der diese Stelle zitiert, montiert in seinem Vortrag *Altern als Problem für Künstler* weitere Definitionen – eigene[14]:

> Keiner der großen Alten war Idealist, sie kamen ohne Idealismus aus und wollten das Mögliche – Dilettanten schwärmen.

und fremde, wie Goethes Forderung, man müsse "mit Willen und Bewußtsein das neue Rollenfach übernehmen". Goethe hatte jenen Topos geprägt, wo die scheinbar divergenten Linien sich treffen: Er werde sich selbst historisch. Dieser

Abstand zu früheren Lebens- und Werkstufen "vernichtet", indem zuletzt das eigene Geisteswerk als bloßer 'Stoff' für die nüchterne, bewußte Alterkunst wahrgenommen wird; dieses kühl kalkulierte Arbeiten mit rationellen Fertigteilen ist das Stilprinzip der Altersesöterik. Nachdem der Autor des zweiten TAGEBUCHS sich jene Maxime Goethes zu eigen gemacht hatte: "man kommt sich schon historisch vor" (S. 41), war allerdings für ihn "nur noch *das sehr Artistische* möglich" und interessant; in der "Erprobung der mir möglichen *Darstellungsweisen*" wird er im Spätwerk weiter gehen müssen als in all den "Arbeiten vorher" (G Hage).

II. Zur literaturgeschichtlichen Einordnung eines neuen Anfang: Geschichte, Möglichkeit und Hermes

Frischs erste Jahre in Rom waren ja vor allem der Konzeption und Ausarbeitung des Romans MEIN NAME SEI GANTENBEIN gewidmet, als habe er sich die vierjährige Veröffentlichungspause eigens für diesen poetischen Neuansatz gegönnt, der – ausnahmsweise – vorweg theoretisch gerechtfertigt und gestützt werden sollte in erzähltechnischen und später in dramaturgischen Positionsbestimmungen. Was das epische Genre angeht, so wird Frisch allmählich das "Benehmen des Erzählens" selbst unbequem[15]:

> Es stört mich plötzlich, wenn ich mich gleichsam verstellen und tun muß, als glaubte ich, daß die Geschichte, die ich lese, tatsächlich geschehen sei. Vor allem aber, wenn ich selber schreibe, stocke ich und finde mich unerwachsen, wenn ich so erzähle, als ob ich nicht erfinde, sondern berichte –

und diese kategorische Faktizität des Epischen verdrießt den Möglichkeitsdenker Frisch, der hier die verschwärmte Sehnsucht seines Frühwerks versachlicht und auf der Ebene grammatischer Entscheidungen die menschliche Freiheit zur 'Wahl' verteidigt, im Kampf gegen das fixierende, "langweilige" Imperfekt. Dem herkömmlichen Drama, ob klassische Tragödie oder Parabel, wirft Frisch eine "Dramaturgie der Fügung" vor, die als sinnvoll und notwendig fixiere, was spielerisch vorzustellen sei, und er verwirft deshalb nicht allein fremde, sondern vor allem die bisherigen eigenen Werke[16].

Wir haben dieses Delegationsschema ja bereits charakterisiert. Ausdrücklich und scharf kritisiert Frisch diesmal gerade seine beiden erfolgreichsten Bühnenwerke, die Parabelstücke BIEDERMANN UND DIE BRANDSTIFTER und ANDORRA. Die praktische Probe für eine neue "Dramaturgie der Permutation" schlug aber fehl und endete, wie eine TAGEBUCH-Notiz vom 8. 2. 1968 meldet, "mit einem vierfachen Sieg der Bühne (Zürich, München, Frankfurt, Düsseldorf) über den Autor; er bestreitet die Fatalität, die Bühne bestätigt sie – spielend"[17]. So desperat scheitern konnte das Wagnis freilich gar nicht, denn so kühn war der Autor nicht gewesen; lediglich die Zurücknahme der Parabeldramaturgie, nicht deren Ersatz hatte er angestrebt, und so mußte er doch etwas von dem bewahren, was er zurücknehmen wollte – nämlich das sinnhafte "Schicksal". BIOGRAFIE überträgt, verspätet, die Delegationstechnik des STILLER auf die Bewußtseinsbühne, und Kürmann ist ein "heroe as playwright", der sein Lebensdrama nach den Rezepten des Schriftstellers Max Frisch gestalten will: Das Stück heißt deshalb BIOGRAFIE, und nicht: Lebenslauf. Übrigens verweist Kürmanns Wendung "ein Urenkel Pirandellos" wohl auf das genealogische Verhältnis des Spiels zu des Sizilianers Erfolgsstück über Bühnenkunst und Leben: *Sechs Personen suchen einen Autor*[18].

Frisch hat, wie den Wohnort, auch die geistige Welt gewechselt, in der er sich heimisch bewegt, und sucht Quellen und Anregungen jetzt mit Vorliege im romanischen Kulturfeld auf: So geht ein Einfall im *Gantenbein*, wie das daraus entwickelte Drehbuch *Zürich Transit*, auf Pirandellos *Il fu Mattia Pascal* zurück[19].

In diesem bekanntesten von Pirandellos sieben Romanen hatte Frisch das Rip von Winkle-Motiv, das ihn seit je faszinierte, wieder erkennen können; als Mattia Pascal, der sein Verschwinden so geschickt inszeniert hatte, daß er für tot gehalten wurde, in sein Heimatdorf zurückkehrte, war das Leben ohne ihn weitergegangen, und – ähnlich wie Rip van Winkle in Frischs letzter Version des Stoffes – gibt er sich nicht mehr zu erkennen. An seinem vorgeblichen Grab um Namen und Herkunft befragt, erklärt er, zum Schock und amüsierten Unglauben seiner früheren Mitbürger: "Io sono il fu Mattia Pascal" – "Ich bin Mattia Pascal selig". In der erzwungenen vollgültigen Heimkehr lag ja gerade das Dilemma eines Stiller/White, der sein Inkognito zu Hause nicht zu wahren wußte, oder des Staatsanwalts Martin, der als Graf Öderland über das "Meer" aller Möglichkeiten nach Santorin mit einem prächtigen Schiff "Esperanza" reisen wollte, während unter dem "Blick" seiner Gattin schnell die "Hoffnung" auf das bürgerliche Schweizer Maß schrumpfte und zuletzt ein "Schiff" aus Nippes in der heimatlichen "Villa" übrigblieb. Abgesehen von einzelnen Motivanleihen bei Pirandello, die Marlis Zeller-Cambon in einer sorgfältigen Studie nachweist, ist beim späten Frisch wie im *Mattia Pascal* die Struktur des Ausbruchs ohne Wiederkehr werkbestimmend geworden und damit die frühere Problemstellung entschieden verändert.

Anregungen kommen aber auch von den "neuen Romanciers" aus Frankreich: In dem Erzählfragment *Klima* überzeugt die Erzählerposition den Autor wohl auch deshalb nicht, weil das, für Leser von Michel Butors Roman *Paris – Rom* unvergeßliche Erzählen in der Anredeform kopiert wird (s. u.). Und wenn jenes Buch von einem Kritiker als "vollkommen" gepriesen wurde, weil "es sich auf sich selber hin zuschließt und nichts anderes ist als die Schilderung seines eigenen Entstehens", dann wäre so auch der poetologische Roman MEIN NAME SEI GANTENBEIN treffend charakterisiert[20].

"[...] da erkennt man keinen klaren Ablauf und keinen roten Faden", beklagt Balz Leuthold (in Frischs früher Bergerzählung ANTWORT AUS DER STILLE) sein Alltagsleben; er legt sich einen Plan für Lebenssinn zurecht. "Jeder Mensch, nicht nur der Dichter, erfindet seine Geschichte", schreibt Max Frisch mehr als zwanzig Jahre später, und für jeden Menschen wird die erfundene Geschichte zu einer Realität, "die er dann, oft unter gewaltigen Opfern, für sein Leben hält" – das andere mit dem Tod bezahlen müssen: Julika, die Gattin Stillers, muß sterben, weil ihr Ehemann sie nicht lieben, sondern

"erwecken" will, um sich sein Selbst-Bild als schöpferischer Künstler und Mann zu bestätigen; Andri wird von seinem echten Vater, dem Lehrer in Andorra, verleugnet und als Judenkind ausgegeben, weil dieser sich vor seinen Landsleuten geniert: Er gebärdet sich wie ein Nonkonformist und wagt nicht, ein Verhältnis mit einer "von drüben", von den Schwarzen einzugestehen; dem Lehrer ist seine Lebensgeschichte wichtiger als das Leben seines Sohnes.
Aus solchen vorangehenden Experimenten leitet Frisch seine "nachträgliche" Theorie ab[21]. Konstant ist das "Sinn"-Verlangen des Menschen, besonders des Mannes. 'Sinnvoll' ist, was keine Alternative zuläßt:

> Es ist, mindestens in den wesentlichen Wendungen, kein Zufall in unserem Leben [...], und es lohnt sich nicht, das Vergangene zurückzuholen: denn keiner hätte ein anderes Dasein leben können als jenes, das er lebte [...].

Dieser 'Sinn' ist ein geistiger Entwurf. Er will 'erkannt' und angenommen werden. Weil er aber den Zufall ausschließt, begrenzt er die 'Wahl' und Freiheit für alle anderen. Problematisch ist überdies das Verhältnis der 'Sinne' zum 'Sinn', weil ja dieser die Sinnlosigkeit des Todes überwinden und deshalb das sinnliche Zeit- und Todeserlebnis, den 'Schrekken', nicht integrieren will und kann; daraus resultieren die Varianten – Sieg des Geistes über den Körper, Waffenstillstand oder Niederlage des Geistes – und korrelativ variabel ist das Verhältnis von Sinn-Entwurf (und Schöpfertum) zur Wirklichkeit. Auch da steht am Anfang die Niederlage der Welt, die sich gegen den tatkräftigen Schicksals-Schöpfer Jürg Reinhart nicht behaupten kann. In jenem Romanerstling hatte das Helden-Ich sich entweder die äußeren Bedingungen anverwandelt und sie als sein eigenes 'Schicksal' gewollt, oder sie ausgemerzt, wie in jenem Mord an der geliebten und gefürchteten Frau. Das Beharren auf dem Sinn soll ja die Angst vor dem 'Anderen', dem Fremden verdrängen; weil

aber diesen Männern der eigene Körper das Fremdeste ist, entlarvt sich diese Angst als Todesangst; um den Tod zu verdrängen, machen sie sich ein sinnvolles Bild von ihrem Leben und ordnen jede unliebsame Überraschung, die die Zukunft bringen könnte, darin vorsorglich ein: Die Angst vor dem Tod schließt eine Angst vor der vergehenden Zeit mit ein.
Zur Debatte stehen außerdem auch der klassische Begriff des Symbols, also: die forcierte Einheit von Sinn und Welt, und der Gegenbegriff der Fiktion – deren offenbare und eingestandene Trennung. Das Frühwerk gestaltet epigonal symbolisierend: Wenn Jürg Reinhart von der 'Weite alles Möglichen' träumt, so läßt der Autor gleichzeitig ein großes Schiff übers Meer ziehen: Außenwelt und Innenwelt sind, scheinbar ganz natürlich, eins. Im Spätwerk würde Frisch, am Ende einer langen und komplizierten Stilentwicklung, entweder diese Einheit zerbrechen und nur noch das 'Schiff' erwähnen, nicht aber das Innenleben seiner Figur, oder er würde dies sinnhaltige Zusammentreffen ironisch glossieren und so als literarische Veranstaltung entlarven. Die Fiktionalität ist im GANTENBEIN demonstrativ. Deshalb dürfen sich diese "offen artistischen" Erfindungen des Dichters all das erlauben, was das Leben nicht gestattet[22]:

> Die Schreibweise des Romans [...] konstituiert Realität. [...] sie ist Erfindung, Erfindung der Welt und des Menschen, ständige Erfindung und unaufhörliche Infragestellung.

Wie Alain Robbe-Grillet, von dem unser Zitat stammt, löst Frisch die bedrückende Realität der Fakten-Geschichte in ein Karusell von experimentellen Geschichten auf und rückt mit seinem Roman dem noveau roman so nahe, daß strenge Distanzierung unumgänglich wird:

> Nein, kein noveau roman.

So heißt es in den Erläuterungen zum GANTENBEIN-Roman, die Frisch in einem fiktiven Interview ICH SCHREIBE FÜR LESER (gleichsam eine Einübung ins Fiktionale) gegeben hat. Und weil der vorgestellte Partner nicht nachgibt, nochmals: "Noveau roman, ich verstehe, Sie meinen, darum kommt man nicht herum."
Tatsächlich war dies ja das literarische Modethema jener Jahre, und auch Max Frisch ist nicht "darum herumgekommen". Vielleicht auch deshalb nicht, weil sich Frischs individuelle Entwicklung mit der literaturgeschichtlichen Konstellation hier kreuzt. Die Autoren des noveau roman verfechten eine nicht mimetische Schöpfungspoetik[23]. Die Welt wird neu im Buch erschaffen, nicht nachgeahmt, wie in der Mimesis-Tradition. Dies Schöpferische ist die Sehnsucht aller Künstlerfiguren bei Frisch. Im GANTENBEIN wird es jetzt erstmals vom Erzähler, nicht bloß von Figuren – wie Stiller – erörtert und angestrebt; der Roman reflektiert die Verfertigung des Romans – was jenen französischen Kritiker (s. o.) einst so begeistert hatte:

> Übrigens habe ich (bekennt Frisch) viele von den Gedanken, die der Verfasser sich macht, um sich in etwas Entstehendem zu orientieren, in den Roman geschrieben [...]

und einiges davon ist stehengeblieben[24], wenn auch nicht, wie man den neuen Romanciers unterstellte, Kommentar und Theorie triftiger wirken als die Erzählung. Jedenfalls verwirklicht der GANTENBEIN – erstmals in Frischs Werk und mit bezeichnenden Abstrichen – eine Poetik der Schöfpung. Weil die erzählte Welt erst im Erzählvorgang entsteht, sind Möglichkeits-Varianten erlaubt, die wiederum den Romanfiguren einen mehrdeutigen, proteischen Charakter verleihen; das handelnde Individuum hat im noveau roman abgedankt wie im GANTENBEIN und sogenannte "generateurs" steuern stattdessen den Fortgang der Texte, zentrale Situationen oder Metaphern, die "wesentlich" sind und deshalb immer abgewandelt werden[25]; eine solche Situation wandert sogar über die Werkgrenze und kehrt im TAGEBUCH auf das Jahr 1966 wieder:

> Das kommt vor: eine Villa steht schon seit längerer Zeit verlassen, von den Bewohnern keine Spur. Es scheint, daß die Leute einfach aufgestanden sind vom Tisch, ohne abzuräumen; Risotto in einer Schüssel verschimmelt, Wein in einer offenen Flasche, Reste von Brot steinhart. Nicht einmal ihre Kleider haben sie mitgenommen, ihre Schuhe, ihr persönliches Zeug.

Dies Tableau – die leere 'Wohnung', die abgelegten 'Kleider' – verrät uns, daß hier eine Lebensform aufgegeben wurde; es sind unscheinbare, aber "wesentliche" Metaphern, genau wie jener 'blinde Seher', der motivische Einfall, aus dem die mannigfachen Varianten erwuchsen[26]. Sogar für das Eifersuchtsthema und die Metaphorik des Blickens, Frischs eigenste Domäne, findet man verstärkende Parallelen in der "Ecole de regard", der auch Alain Robbe-Grillets *Die Jalousie oder die Eifersucht* (1957, dt. 1959) zugezählt werden muß. Weiter bezeichnet Frisch sein Filmszenario ZÜRICH TRANSIT, das aus dem Romananfang abgeleitet wurde, als eine "Komödie der Entfremdung" und führt außer dem Allerweltskenntwort der jungen französischen Schule, außer der 'Entfremdung' eben, auch die gelassene Bewertung des Phänomens ein, die jener eigentümlich ist; Frisch fährt fort – "eine Komödie gelassenen Stils also"[27]. Die Entfremdung rührt von der Zeitlichkeit des Menschen her, wobei "Zeit" das ist, "was durch die Figuren hindurchgeht in unablässigen Worten", eine ontologische Größe, deren Reich aufhört, wo die zeitlose, mythische, sinnvolle Wahrheit herrscht, am Ende der Sprache – oder nur: wo das verbindliche Sprechen endet, im Spiel innerhalb der sprachlichen Welt; Frischs mögliche Paraphrase: Sprechend wird die 'Vergängnis' geleugnet. Das Spiel gewinnt die mythische Sinn-Dimension, weil es über sämtliche Traditionen des Mythos verfügt – wie Frischs hermetischer

Roman, der einen Schatz von Zitaten spielerisch verschwendet.
Freilich dürfen uns solch unzweifelhafte Analogien nicht genügen. Wichtige Werke, welche man dem noveau roman zugezählt hat, wurden bereits in den fünfziger Jahren veröffentlicht; Frisch indessen hatte manches, was hier rekapituliert wurde, bereits im TAGEBUCH 1946–1949 thematisiert, so etwa die 'Eifersucht' in den Notizen über "Othello"[28]:

> Othello ist in erster Linie nicht ein Eifersüchtiger, sondern ein Mohr, also ein Mensch aus verachteter Rasse. [...] Er leidet an seinem Anderssein; hier wurzelt die Tragödie, scheint es, und so entwickelt sie sich auch. Noch handelt es sich nicht um Eifersucht; aber hinter allem, wie ein Schatten, steht jenes Gefühl von Minderwert; und der Mohr ist ehrgeizig, wie wir es alle sein müssen in dem Grad als wir Mohren sind. [...] Das allgemeinste Gefühl von Minderwert, das wir alle kennen, ist die Eifersucht, und der Griff auf beide Tasten, den Shakespeare hier macht, ist ungeheuer. Er deutet das eine mit dem andern.

So erklärt Frisch eher sein eigenes als Shakespeares Verfahren: Wir haben seine endlosen metaphorischen Gleichungsketten ja schon kennengelernt. Ihnen fügt sich die 'Eifersucht' ein: Sie ist Angst vor dem Anderen – vor der Frau, also vor der Außen-Welt, vor der Zukunft, also vor dem Tod; die Angst aber ist nur die Negation der Sehnsucht: Wer das andere fürchtet, möchte selbst gern anders sein.
Diese Existenzdialektik des Anderen wird in Sartres Philosophie entfaltet. Wir dürfen also Frischs "neuen" Roman nicht zu elegant vom "noveau roman" ableiten, konnte dieser doch an den existenzialistischen Roman anschließen[29]; diesen wiederum hatte Frisch seinerseits im STILLER fortentwickelt, so daß, solange bis wir aussagekräftigere biographische Dokumente besitzen, unentscheidbar bleibt, welche Anleihen er bei sich selbst aufgenommen hat und welche aus anderen Traditionen; diese Art Ungewißheit betrifft sogar die Schlüsselvokabel: 'Geschichte', im Singular und Plural. – Überdies

hat sich der Prozeß der Verknappung erzählter Modelle, den wir am Beispiel 'Wiedergeburt' verfolgen konnten[30], weiter fortgesetzt und die Spirale der Werkentwicklung sich verengt. *Frischs Altersstil ist esoterisch und exoterisch* (unter den Neueren vielleicht dem späten Hofmannsthal vergleichbar) – *sein spätes Werk bezieht sich mimetisch auf sein früheres Werk als Wirklichkeit.*
Ein Beispiel mag das verdeutlichen: In Goethes *Wilhelm Meisters Wanderjahre* ist eine Erzählung, *Der Mann von funfzig Jahren*, eingeschaltet. Sie fügt einem zentralen Thema des gesamten Romans, dem Verhältnis des Alten und Neuen, der alten Generation zur jungen, noch einen weiteren Aspekt hinzu, nämlich die Liebe jenes alternden Mannes zu einem Mädchen, das seine Tochter sein könnte; sie endet in Entsagung. Ein Nebenmotiv bestimmt die Wirkungsgeschichte dieses Stoffes: Die Titelfigur läßt sich mit kosmetischen Mitteln verjüngen, wird – wie es dann in Thomas Manns Erzählung *Der Tod in Venedig* heißt – zum "falschen Jüngling". Dort unterzieht sich Gustav von Aschenbach, ein altender Schriftsteller, dieser Kur, um sich als attraktiven Liebhaber dem schönen Knaben Tadzio zu empfehlen; die ungewöhnliche Liebe erscheint nun als Verirrung, die zum Sinnbild einer in Sterilität erstarrenden Dichtkunst wird. Die Erzählung Thomas Manns wiederum ist das Strukturmodell für Frischs *Homo faber*[31]; die Homosexualität dort wird hier zum Inzest verschärft, der steril bleibt und kein 'Leben' zeugt, vielmehr in den Tod der Geliebten mündet. Die falsche Verjüngung des Vaters, der seine eigene Zukunft in seinem Kind auslöscht, wird freilich nicht eigens dargestellt: Frisch begnügt sich mit dem – vor der Folie des *Tod in Venedig* unmißverständlichen – Stichwort und führt Faber als einen "Herrn von fünfzig Jahren" ein.
Mimesis heißt: Nachahmung der Natur. Als bloße Beschreibung einer natürlichen Tatsache bleibt die Altersangabe stumm und belanglos; erst die Nachahmung der Literatur macht dies zur sprechenden Zahl. Die Zeichen werden also

nicht kombiniert, damit aus dem Erzählten sich ein Sinn ergibt – dann müßte Frisch allmählich die Bedeutung dieser besonderen Altersangabe verdeutlichen; seine Chiffren aber bringen den Sinn mit, verweisen auf metaphorische Situationen anstelle realer – aber in detailrealistischem Stil[32]. Sie meinen 'Geschichte', die nur erkennt, wer die vorigen Werke Frischs, in denen sie erzählt wurden, kennt.

Zu Anfang wiederum eine abwehrende Geste Frischs: "Ich bin kein Philosoph."[33] Ein philosophisches Buch, dessen erster Satz lautet: "Wir Menschen sind immer in Geschichten verstrickt", war schon 1953 erschienen und der Verfasser, Wilhelm Schapp, hatte darin den Gedanken von der geschichtlichen Sinngebundenheit jeder Erfahrung entwickelt: Weder mit den Maßstäben von Wirklichkeit und Wahrheit könne man den konkreten Lebenssinn einer Geschichte ermessen, noch dürfe man ihr je präsentisches Dasein, ihre Gegenwärtigkeit, der absoluten Chronologie unterwerfen; "der, dem die Geschichte passiert ist, gehört unbedingt zur Geschichte", und seine Geschichten stehen für ihn, weil das "Ich selbst [...] qualitätslos" ist; "alle Qualität liegt in der Geschichte". *Max Frischs Erzähltheorie der 'Geschichten' paraphrasiert die Philosophie der Geschichten von Wilhelm Schapp.* Obgleich er nicht etwa das Ich eingebettet sieht in geschachtelte Geschichten, sondern komplementär die Geschichten als spielerisch eingrenzende Erfindungen des Ich, – er schildert das 'Geschichten'-Erfinden der Menschen doch so, daß man Schapps Formulierungen einsetzen könnte, ohne die Schilderung zu verändern. Und indifferent gegen 'Realität' und 'Uhrenzeit' ist das, was er 'Geschichte' nennt, ohnehin. *'Geschichte' ist für Max Frisch ein legitimer Entwurf sinnvollen Lebens, der freiwillig auf 'Realisierung' verzichtet.* Aber konnte er, als er von Unserer Gier nach Geschichten schrieb, jenes philosophische Buch, *In Geschichten verstrickt*, überhaupt kennen?
Zumindest teilt uns die Erzählung Montauk ein glaubwür-

diges biographisches Deatil mit: "Die Frau, die ich damals liebte, hatte Philosophie studiert und über Wittgenstein geschrieben, promoviert über Heidegger" – Angaben, die auf Ingeborg Bachmann zutreffen[34]. Gleichviel – hier werden die philosophiegeschichtlichen Koordinaten genannt, die Wilhelm Schapps Standort anvisieren, führen doch von seinem Lehrer Husserl die Wege zu Heidegger, aber auch zu Wittgenstein und dem Wiener Kreis, und schließlich zu Jean Paul Sartre, in dessen Philosophie der Mensch definiert wird als sein eigener freier Entwurf, wozu Stiller bereits eine "story" beisteuerte – eben die Geschichte seiner 'Wiedergeburt' aus eigenem, angeblich freien Entschluß; weiteren Querverbindungen könnte man nachgehen[35]. Vielleicht sollten wir aus der nüchternen, humorvollen, klaren Diktion des GANTENBEIN-Romans auch die Absage an den überhitzten Existenzialismus der fünfziger Jahre heraushören und einen Nachklang der konkurrierenden und verwandten Vorläufer jener Modephilosophie – so könnte auch Frischs frühere, fast folgenlose Musil-Lektüre aktuell und wirkungsvoll geworden sein; hatte doch der Verfasser des *Mann ohne Eigenschaften* das "primitiv Epische" der Lebensauffassung mit Worten beschrieben, die in Frischs Darlegungen wieder anklingen[36]:

> Die meisten Menschen sind im Grunderlebnis zu sich selbst Erzähler. Sie lieben nicht die Lyrik, oder nur für Augenblicke, und wenn in den Faden des Leben auch ein wenig "weil" und "damit" hineingeknüpft wird, so verabscheuen sie doch alle Besinnung, die darüber hinausgreift: sie lieben das ordentliche Nacheinander von Tatsachen, weil es einer Notwendigkeit gleichsieht, und fühlen sich durch den Eindruck, daß ihr Leben einen "Lauf" habe, irgendwie im Chaos geborgen.

Eine Kritik an Sartre vor Sartre kündigt sich in Musils Ironie an und konkretisiert sich im Konzept der Eigenschaftslosigkeit. "Jemand wechselt auf Musil."[37]
Sartre hatte jedenfalls längst Heimatrecht in Frischs geistiger

Welt, schon seit dem ersten TAGEBUCH, und vermutlich verdient auch Frischs Camus-Rezeption mehr Beachtung, als sie bisher gefunden hat[38].

Sie beginnt, vor dem DON JUAN, bereits mit GRAF ÖDERLAND, wo ja nachgeprüft wird, wie sich der "Mensch in der Revolte" zum 'Menschen in der Revolution' verhält. Das Konzept einer "Revolte" angesichts der Absurdität des Seins beurteilt Frisch besonders skeptisch in der zweiten Fassung des Stücks von 1956, also unmittelbar vor dem HOMO FABER, der bald den heroischen Existenzialismus gar als einen Luxus für reiche Touristen ironisiert.

Der französische Existenzialismus erweist sich jedenfalls als Angelpunkt für Frischs Weltentwurf, und wir wagen deshalb nicht zu entscheiden, ob er seine Kritik eigenständig, aber analog zu den Entwürfen von Musil und Schapp entwickelte, oder ob weitere Lektürenanregungen die produktive Analyse geschärft hatten. Übernommen hatte Frisch vom französischen Existenzialismus zentrale Werte und Begriffe, so etwa das humane Kriterium der 'Wahl' oder die Rolle des 'Anderen' in einer Situation, und er hatte von Beginn an nach den gesellschaftlichen Rahmenbedingungen gefragt[39]; spätestens in ANDORRA wechselt die Perspektive, und gegenüber dem existenzialistischen Glauben an die letzte Freiheit des Subjekts in der tragischen Wahl behauptet Frisch die Macht gesellschaftlichen Zwangs: "Die heillose Situation in ANDORRA durchbricht und zerstört die Voraussetzungen des existenziellen Mit-Seins."[40] Zugleich wird das fatale Scheitern der Wahl nicht mehr dem Subjekt angelastet, das sich ein 'Bildnis' gemacht habe – protestierend gesellschaftlichen Konventionen gehorcht –, sondern die legitime Lebensgeschichte, welche Andri mit Billigung des Autors entwarf, wird vom Geschichtszwang der Andorraner annulliert; es war ja das erste Mal gewesen, daß in Frischs poetischem Werk überhaupt erlaubt scheint, daß sich jemand "ein Bildnis macht", wie Andri sich die Rolle eines Tischlermeisters und von Barblins

Ehemann wünscht. So hebt das sozialpsychologisch interpretierte Konzept der 'Geschichte' vorerst die radikal paradoxe 'Bildnislehre' auf: Verboten bleibt die fixierte, vergangene Geschichte, das Produkt dichtender Erinnerung, dem das epische Imperfekt eine Sinnhaftigkeit und Notwendigkeit verleiht, die trügt[41].
Die Andorraner wollen, daß in Andorra alles so bleibt, wie es war, und schaffen, indem sie die eingelernte "Geschichte" ständig wiederholen, einen Raum der Geschichtslosigkeit[42]; Andorra wird ein Mythos. Wer dagegen "Möglichkeitssinn" besitzt, lebt "wie man sagt, in einem feineren Gespinst, in einem Gespinst von Dunst, Einbildung, Träumerei und Konjunktiven". Unter solchen Umständen sei, so hat Albrecht Schöne in seiner Musil-Studie treffend bemerkt, "der Konjunktiv nicht allein ein Modus des Verbums"; er müsse "zugleich ein Modus der Existenz sein", ausgezeichnet durch die "Fähigkeit [...], alles, was ebensogut sein könnte, zu denken und das, was ist, nicht wichtiger zu nehmen als das, was nicht ist", ausgezeichnet also durch den "Möglichkeitssinn"[43]. Neben diese konjunktivische tritt in Frischs Roman die präsentische Weise des Erlebens, und er schließt damit an ein Thema der "klassischen Moderne" in den epischen Großexperimenten von Musil und Thomas Mann an: die Untersuchung des Verhältnisses von Geschichte und Möglichkeit. In MEIN NAME SEI GANTENBEIN spielt ein Buch-Ich mit der "Experimentiergesinnung" des "Mannes ohne Eigenschaften" die möglichen Entwürfe seiner Persönlichkeit durch, mit einer konstanten Erfahrung und wechselnden Stoffelementen. Freilich gibt Frisch den Vorbehalt, die Phantasie sei von der Erinnerung determiniert, lediglich vorläufig zur Prüfung frei, so daß zuletzt "Musils Definition des Möglichkeitssinns [...] doch ihren enggesteckten Rahmen in der Erlebnisstruktur findet, die als nicht veränderbar erscheint"[44].
"Ein Mann hat eine Erfahrung gemacht, jetzt sucht er die Geschichte seiner Erfahrung ..." und erfindet Varianten des Ich. Die Poetologie des Neuansatzes in den sechziger Jahren

greift über das vorhergehende Jahrzehnt zurück auf die vierziger. Denn das dreigeteilte Spielfeld der Möglichkeiten öffnet sich wieder (s. o.). Und war damals, nach der ersten Bekanntschaft mit der Jungschen Lehre, die Hoffnung auf innerseelisch zu gewinnende Identität noch nicht enttäuscht, so wird sie jetzt, nach den erbitterten Konflikten zwischen Bewußtsein, Archetypen und Realität im STILLER, neuerlich gehegt – im bewußten Verzicht auf die Realität[45]. Unverwirklichte Möglichkeiten sind probeweise wieder erlaubt. In der Erzählung BIN ODER DIE REISE NACH PEKING entdecken wir die Keimzelle des GANTENBEIN- Romans, nicht nur, weil damals das Motiv der existenziellen 'Blindheit' erstmals auftaucht.

Der Mann, dem dort die "Rolle eines erzählenden Ich" (S. 650) aufgebürdet wurde, verläßt nach Belieben mit einem seltsamen Begleiter BIN die Alltagswelt samt seiner Frau "Rapunzel". Er wandert durch ein märchenhaftes China – stets ein "Kontinent der eigenen Seele" (II, S. 219) im Werk Frischs. Bei diesen Ausflügen in die eigene Innenwelt erreicht er freilich nie das Ziel: Peking. 'Peking' ist die Chiffre des Selbst; die aufgespaltene Persönlichkeit wird dort zur Einheit – grammatisch: Ich BIN. Doch verabschiedet sich der Erzähler von der Inkarnation des Erzählten, eben BIN, um zu seiner Frau zurückzukehren, die ihm ein Kind geboren hat: Die 'Ehe' ist ethisch wichtiger, als die Sehnsucht nach Selbstverwirklichung durch Poesie. Das verrät auch das "Rapunzel"-Märchen: Dort irrt ebenfalls der Prinz 'blind' durch die Welt, bis ihn schließlich die geliebte Frau 'erlöst'. Das Reiseland ist deshalb nicht nur eine poetische Innenwelt, sondern – wie ein Vorabdruck des Textes belegt – es kann auch als Totenreich erfahren werden, da vielleicht ganz innerlich, in Peking, das "wirkliche Leben" zu finden wäre, außen aber die Wirklichkeit des Lebens, das Kind als Aufgabe und Verpflichtung. Auch der "Weg nach innen" vermittelt also die Erfahrung des 'Schreckens', die in dieser Erzählung aus den Kriegsjahren lehrt, daß jede ethische Wirklichkeit bejaht werden muß, auch wenn sie Opfer vom Ich fordert.

Wie im BIN, so herrscht in dem späten Roman eine spielerische Freiheit des Bewußtseins – wenngleich im Potentialis. So wird denn auch die Schuldfrage anders akzentuiert werden müssen.
Das "Vorzugskind des Himmels" und Thomas Manns Lieblingssohn, der Hochstapler Felix Krull, darf von sich sagen, er sei "universell von Veranlagung und hege alle Möglichkeiten der Welt in sich selbst", und er darf alle seine Möglichkeiten spielerisch entfalten[46]. Felix Krull ist ein Märchenheld. Sein Autor gestand ein, in diesem Roman "hätte die Welt phantasmagorisch sein dürfen", kein harter, realer Widerstand, statt dessen freundlich bereit, auf die Verwandlungskünste des Felix einzugehen. Felix Krull lebt "im Gleichnis"; der heiter schöne Schein wird niemals von einem groben So-Sein beschämt und in die Pflicht genommen; die Rollen der Gesellschaft und der Zwang der Verhältnisse sind für Felix Krull nur Anlaß und Material seiner Selbstentwürfe: "Austausch der Existenzen wird hier die Vorbedingung der Freiheit." Felix Krull lebt die Utopie des Hochstaplers, und Thomas Manns Roman über Felix Krull ist eine "hochstaplerische", märchenhafte Utopie. – Felix Enderlin – eine der Rollenfiguren im GANTENBEIN – hält nicht, was sein Name verspricht; er, der sich unfähig zeigt, irgendeine Rolle nur zu spielen, der sich in seiner Rollenflucht nicht "ändert", erweist sich als ein ironisches Gegenbild zu Felix Krull, während Theo Gantenbein dessen Abbild scheint. Man hat an ihm, wie an Thomas Manns Hochstapler, Züge eines modernen "picaro" – der Hauptfigur im spanischen Schelmenroman[47] – wahrnehmen wollen, und eine äußere Ähnlichkeit, die aber von ganz unterschiedlichen inneren Ursachen herrührt, besteht wohl in dem statischen Gesellschaftsgefüge, welches sich der Hochstapler, wie einst der skrupellosere Schelm, zunutze macht und das auch vom scheinblinden Gantenbein weidlich ausgenutzt wird; weil sie auf die Anerkennung durch die Gesellschaft angewiesen sind, verhalten sie sich affirmativ zu ihr. "[...] gerade dadurch, daß ich es beobach-

te, kann ich es nicht verhindern" – damit ist Gantenbeins, des 'blinden Sehers', Lebensform charakterisiert[48]. Und seine Schuld außerhalb von Märchen und Mythos. Vielleicht sind beide, Krull und Gantenbein, Figurationen des Hermes, des göttlichen Schelms, doch nur in Thomas Manns Roman bewegt der Held sich in einer hermetischen Welt (s.u. S. 57f.)[49].

III. Die Erlösung vom Körper, als Möglichkeit in "Mein Name sei Gantenbein"

Eine 'Fabel' des GANTENBEIN-Romans können wir nicht nacherzählen; handelt der Roman doch gerade davon, daß eine geradlinige Lebens-Geschichte nicht möglich ist.

Der Erzähler, das Buch-Ich, begegnet uns nur kurz in einigen Situationen eingangs
– auf der Suche nach einem Stellvertreter, der zur sprachlosen Erfahrung des "Ich" nun die "Geschichte" leben soll: "Ein Mann hat eine Erfahrung gemacht, jetzt sucht er die Geschichte seiner Erfahrung" (S. 8);
– als Verlassener in einer leeren Wohnung: "Von den zwei Personen, die hier dereinst gelebt haben, steht fest: eine männlich, eine weiblich" (S. 19); die leere Lebenshülse gemahnt an "Pompeji" (S. 20), ein Totenreich;
– als einer der bei einem nicht ungefährlichen "Unfall" mit dem "Wagen" "Glück" hatte.
Allmählich, aus solcher Erfahrung einer immer wieder in der Trennung begrenzten und endgültig im Tode vereinzelten Existenz, entwirf das Buch-Ich eine Versuchsperson, die an seiner Statt Sinnentwürfe, "Geschichten", schaffen und erproben soll: "Mein Name sei Gantenbein." (S. 25)
Gantenbein, sehend und genau beobachtend, spielt den "Blinden"; er übernimmt, in der Möglichkeitsform, die Existenz des Erzählers nach dem 'Unfall', dem Zusammenbruch der bisherigen Identität. Von nun an kehren Situationen (die Barszene, das Schachspiel, Gesellschaften, Krankenhaus) und Leitmotive (s. u.) regelmäßig wieder, kunstvoll varriert und aus jeweils neuem Blickwinkel.
So begegnet Gantenbein zwei Frauen: Camilla, einer etwas zweifelhaften Dame, einer "Undine" (S. 29), die mit "Geschichten für Camilla" abgespeist wird und 'unerlöst' bleibt; und Lila, der eigentlichen Projektionsfigur seines Daseinsentwurfes, die Frau, betrachtet durch die "lila" 'Blinden'-Brille des Mannes.

Zweifel, ob die Gantenbein-Rolle überhaupt geeignet ist, die eigentliche Erfahrung wiederzuspiegeln, veranlassen den Erzähler, das Problem vorübergehend an anderen Personifikationen seines Ichs zu überprüfen; doch scheinen ihm schließlich die Daseinsentwürfe eines Kunsthistorikers Enderlin, der die verheiratete Lila verführt, und eines Architekten Svoboda, dem mit Lilas Untreue konfrontierten Ehemann, noch weniger geeignet, die ursprüngliche Erfahrung zu ertragen – ihr weder auszuweichen (Enderlins Tendenz), noch daran zu zerbrechen (die Gefahr Svobodas).
Die Utopie der Liebe wird – als bloße "Geschichte" für Camilla – bedeutungsvoll im Zentrum des Romans plaziert, dessen erster Teil unter dem Thema der bindungslosen Freiheit, die sich zur Untreue und Verführung verzerrt, stand, während man sich im zweiten, unter dem Anspruch der Bindung, alsbald mit der „Eifersucht" konfrontiert sieht (s. u.).
Schließlich dekuvriert sich die Gantenbein-Variante an den beiden Frauen, die für sie erfunden wurden; diese übernehmen nun doch die beiden Rollen, die ihnen Frischs bisheriges Werk vorgeschrieben hatte:
– Camilla wird das 'Opfer' eines 'Mordes', gänzlich verstrickt in die Innenwelt einer "durchaus alltäglichen Geschichte, die nach allen Seiten auseinander geht" (S. 313);
– Lila aber entschwindet nach außen, in den Raum jenseits aller Projektionen und Geschichten und hält 'Gericht' über Gantenbein: "du hast mich nie geliebt", lautet ihr vernichtendes Urteil (S. 312).
Damit sind die Varianten aufgebraucht; das Buch-Ich findet sich abermals in einem antiken Gräberfeld (s. o.), ist jedoch "wieder ans Licht" gekommen (S. 319), auferstanden aus dem Totenreich der Geschichten, und bekennt: "Leben gefällt mir."

Der Roman MEIN NAME SEI GANTENBEIN ist ein streng tektonisches und statisches Gefüge von bedeutungstragenden Elementen, die assoziativ verknüpft sind und sich wechselseitig spiegeln oder anders variieren[50]. Ein Mobile von Geschichten ist in dem mehrfachen "Rahmen" eingelagert, wobei das Bild der verlassenen Wohnung sozusagen jeweils die innere Kante des Rahmens markiert (vgl. das graphische Schema S. 50). Die beiden gegenläufigen Bewegungen, die sich ausbalancieren, beherrschen das innere Bild insgesamt, werden jedoch anfangs in der Rahmenszene präludiert, als das Buch-Ich zwei Männer verfolgt, die offenbar im Besitz passender Geschichten zu seiner Erfahrung sein könnten – den ersten achtlos, mit geringem Interesse, den anderen mit persönlicher Anteilnahme, fast ängstlich bemüht; analog dazu verläuft die "Bewegung der ersten Romanhälfte weg von der erfahrungsgeprägten Welt zum freien, unbesorgten *Entwurf eines anderen Lebens*", bindungslos und deshalb unverbindlich, so daß in der zweiten Romanhälfte die sorgenvolle "Sehnsucht nach Wirklichkeit" dominant wird, vor allem anderen das "irre Bedürfnis nach Gegenwart durch eine Frau". Mitte, Höhe- und Wendepunkt ist das Erlösungsmärchen von Ali und Alil. Der Bewegung auf der Werkebene entsprechen die Bewegungen auf der Figurenebene[51].

> Im Verhältnis des Erzählers zu seinen Geschichten [Erfindung] und in den erfundenen Figuren der Geschichten selbst [Handeln] wiederholt sich das gleiche Muster. Aktivität des Denkens und Aktivität des Handelns führen beide zurück zum Ausgangspunkt der Erstarrung.

Dieses unabänderliche Muster drückt unsere, vorerst sehr abstrakte Formel aus: "Übernahme einer Rolle – Distanz – Nähe zur Rolle – Aufgabe der Rolle im 'Schrecken' – neuerliche Übernahme", eine iterative Formel also, die unendliche Bewegung oder abschließend eine Kreisstruktur erzeugt.
"Ein Mann hat eine Erfahrung gemacht, jetzt sucht er die Geschichte" dazu – die erste dieser Anweisung folgende Szene übt das Muster ein, welches den wechselnden Realitätsstoff organisieren wird. Die Romanbewegung setzt ein mit einer Vision im "Morgen-Grauen", die eng gedrängt die Leitworte und -Chiffren des bisherigen Werkes vereinigt: Ein namenloses Ich erfährt erschreckt als eine 'Wahrheit' im 'Riß' durch den 'Wahn', wie das "Lebewesen", ein "Pferd" "voll Todesangst", sich zu befreien strebt, vergebens, denn "der

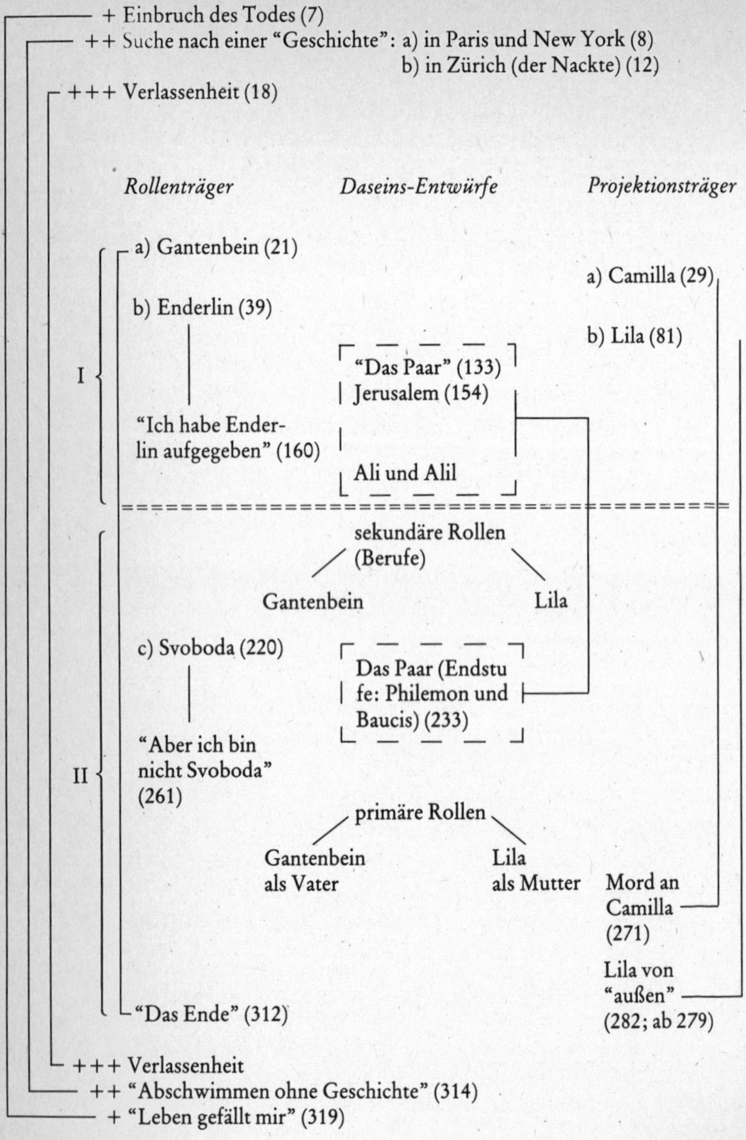

+ Einbruch des Todes (7)

++ Suche nach einer "Geschichte": a) in Paris und New York (8)
b) in Zürich (der Nackte) (12)

+++ Verlassenheit (18)

Rollenträger | *Daseins-Entwürfe* | *Projektionsträger*

I
a) Gantenbein (21)

a) Camilla (29)

b) Enderlin (39)

b) Lila (81)

"Das Paar" (133)
Jerusalem (154)

"Ich habe Enderlin aufgegeben" (160)

Ali und Alil

===

II
sekundäre Rollen (Berufe)

Gantenbein | Lila

c) Svoboda (220)

Das Paar (Endstufe: Philemon und Baucis) (233)

"Aber ich bin nicht Svoboda" (261)

primäre Rollen

Gantenbein als Vater | Lila als Mutter

Mord an Camilla (271)

Lila von "außen" (282; ab 279)

"Das Ende" (312)

+++ Verlassenheit

++ "Abschwimmen ohne Geschichte" (314)

+ "Leben gefällt mir" (319)

Leib bleibt drin“, während der Kopf “heraus” ist, “die weißen Augen, irr, blicken mich an, *Gnade* suchend.“[52]. Das untrennbare Schisma zwischen Geist und Körper beschäftigte den frühen Frisch, der das Erlösungsmodell entwarf; die rettungslose Todesangst, weil der Geist für den abgelehnten, sterblichen Körper dennoch haften muß, quält seine späteren Figuren, und in der dritten Werkphase “verrät” jeder seinen Körper, indem er in “Bildnisse” und Geschichten flüchtet, welche ihn abermals an die tödliche und irreduzible “Wahrheit” vermitteln. MEIN NAME SEI GANTENBEIN *präsentiert sich uns als ein Kompendium typisierter Gehalte aller früheren Werke Frischs.* – Das Buch-Ich übernimmt, getroffen von der Erfahrung des ‘Schreckens’ die primäre Elementarrolle der Männlichkeit (eines Jürg Reinhart und Jim White); der paradiesische Zustand wird beschworen, die Vollkommenheit des Menschen im Paar, und Adam erschafft sich Eva – wie jeder ‘Mann’ die ‘Frau’ –, indem er sie auf ihren Namen ‘tauft’. Was folgt, wird in der später eingeflochtenen Passage über “Das Paar” erweitert und varriert[53]: Wie die Vereinigten die “einzige Wirklichkeit weit und breit” sind, die anderen Menschen nur “Marionetten” ihrer Laune – die Androgyne, der göttliche Mensch, hätte wohl der “Maschinist” in Kleist Marionettentheater sein dürfen; wie sich allmählich die Außenwelt geltend macht und das Paradies zerstört – der nackte Adam wird “mit seinem Namen”, dem bürgerlichen, angesprochen; es ist der Moment der “Erkenntnis”. “Sie sind der Teufel! sagt der Nackte”, flieht, doch ist die Rolle kein “Scherz” mehr, der Nackte erfährt seine adamitische Nacktheit als Rolle, die er verteidigt “als seine Wahrheit”, und die er schließlich “vollkommen ruhig, vernünftig, höflich-alltäglich” aufgibt[54].

> Es ist wie ein Sturz durch den Spiegel [...] und nachher, kurz darauf, setzt die Welt sich wieder zusammen, als wäre nichts geschehen. Es ist auch nichts geschehen.

Und dennoch hat sich die "Geburt des Schriftstellers" ereignet[55]. Wie Stiller und Walter Faber reagiert auch das Buch-Ich auf den 'Sturz' und den 'Schrecken' mit der Erfindung von Geschichten; der metaphorische 'Spiegel' zeigt eine existenzielle und eine poetologische Seite, verweist einmal wie im DON JUAN auf den Schrecken der Selbstbegegnung und zugleich wie in ANDORRA auf die künstlichen Bilder, welche die Dichtkunst dem Chaos des Daseins allein entgegenhalten kann. Die erfundenen Geschichten im Roman MEIN NAME SEI GANTENBEIN sind sozusagen die Scherben des zerbrochenen Spiegels, die sich zum alten Weltbild zusammensetzen, das bei dem neuen Einbruch der existenziellen Erfahrung erneut zerbricht. – "Ein anderes Leben –?" erkundigt sich das Buch-Ich und antwortet: "Ich stelle mir vor"; Stiller hatte emphatisch bejaht und sich als White realisiert, das Buch-Ich erfindet sich Gantenbein. Auch Enderlin und Svovoda.
Das Personal früherer Frisch-Geschichten kehrt wieder in den Geschichten des Buch-Ichs; was die Personen in der Romanwelt früher erlebten und erlitten, wird jetzt als eine erzählbare Möglichkeit experimentell simuliert, und die Menschentypen werden dazu als psychische Rollenangebote interpretiert – man darf 'Stiller' spielen, oder 'White', oder 'Rolf'. Die Rollenlegende definiert dann – auch dies eine bekannte Regel – den Träger, der sie übernimmt. Das Eigenschafts- und Verhaltensmodell 'Enderlin' paßt auf denjenigen, der mit keiner Rolle spielen kann und deshalb wie Don Juan und Stiller die Rolle überaus ernst nimmt, in der Negation und in der unbewußten Erfüllung. Indem er sich keinesfalls festlegen lassen will, ist er bereits auf die Widerlegung von vorausgesetzten Erwartungen festgelegt, wie ja auch die sprachliche Negation immer schon voraussetzt, daß das Verneinte vorhanden ist, und es somit bestätigt (s.o. S. 24). Leitthemen und -motive, die jenen zugeordnet waren, charakterisieren jetzt die Erlebnisweise 'Enderlin': ein Intellektueller, der die Rollen-Schuld scheut, ein Verführer, inzwischen ein guter Kenner Kierkegaards, geängstigt vor jeder

Wiederholung noch immer[56]. – Zum Betrüger gehört der Betrogene, zu Enderlin komplementär Svoboda. "Indem man sich den anderen vorstellt, erkennt man sich selbst", und so beschreibt der "Böhme" Svoboda sich anhand seines "unböhmischen" Gegentyps Enderlin (S. 234f.). Mit der Landschaft Böhmen verweist uns Frisch übrigens auf jene, gelegentlich erwähnte und in Prag uraufgeführte Oper Mozarts, wo ein Urtyp des "Romanischen" (ebd.) seine mythische Form gefunden hatte: der Verführer, *Don Giovanni*.

Im Dreieck der Liebschaften Don Giovannis hat Enderlin, der seinem Opfer – in einer weiteren spanischen Assoziation – als ein "Torero" (S. 236) vorkommt, die Figur des Verführers angenommen, Lila ist Zerline, und für Svoboda bleibt der Part des tölpelhaften Massetto; er ist innerlich heil, aber von außen verstört; sein Leitthema ist die konkrete Eifersucht, wie sie der Diarist Frisch analysiert hatte[57]. Svoboda verhält sich zu Enderlin wie Rolf zu Stiller, der sich ja ebenfalls gerne als Stierkämpfer sah.

Neben der vitalen Eifersucht steht deren existenzielle Spielart, die Geschichten erfindet und sich in Geschichten verstrickt; neben Rolf steht James Larkin White, neben Svoboda tritt Theo Gantenbein. Allerdings verändert sich Gantenbein, der als eine Figuration des Hermes die Bühne betritt, welche er als gescheiterte postfigura Christi verlassen wird. Der sich wandelnde Gantenbein verklammert die beiden Teile des Romans zur Einheit.

"Ein anderes Leben –?" Der Verkehrsunfall, bei dem das Buch-Ich mit dem 'Schrecken' davonkommt, suggeriert eine Antwort, steht nachher doch der "Wagen [...] in umgekehrter Richtung", wie das Buch-Ich, verunglückt mit seiner alten Identität, die Richtung seines Welterlebens umdreht und Gantenbeins Weltsicht entdeckt[58]. Damit wird der "Versuch einer Verbindung von geschlossener Welt und subjektivem Entwurf" unternommen. Der Inbegriff der Welt ist für Gantenbein, wie für Stiller und wie für Hotz, das 'Weib'; Gantenbeins, des 'blinden Sehers' Ehe mit Lila bedeutet das kühne

Experiment, die blinde Liebe mit der vollständigen Erkenntnis zu versöhnen, die personale Freiheit mit der Promiskuität des Geschlechtstriebs, Körper und Geist zum ganzen Menschen. "Die Frau ist ein Mensch, bevor man sie liebt, manchmal auch nachher; sobald man sie liebt, ist sie ein Wunder, also unhaltbar –". Der Ehemann Gantenbein inszeniert das Wunder auf Dauer, denn: "Alltag ist nur durch Wunder erträglich."
Gantenbein fürchtet die Eifersucht. Eifersucht macht 'blind'; wer aus dem Dunkeln ins Helle schaut, wird ebenso geblendet wie der, der neben der "Helle des Bewußtseins" die Dunkelheit des Unbewußten durchdringen will[59]; wer 'blind' liebt, vermag im unbewußten Einerlei der Gattung die Person nicht zu 'erkennen', während der eifersüchtige Blinde sogar die "Nacht des Erkennens" geistig ausleuchten will. Eifersucht nimmt daher, in der Liebe, den Blick von außen vorweg und zerstört die Vereinigung[60]. Gantenbein versucht, sich gegen Eifersucht zu feien, indem er die Innensicht zur Totalperspektive ausweitet: "Ein Blinder kommt nicht von außen." Da er nichts identifiziert, gäbe es für den Blinden keine Wiederholung. Er lebt in einer zeitfreien "Innerlichkeit". Gantenbeins Willkür nun setzt absolute Erfahrung veräußert in einer kalkulierbaren Ordnung voraus, so daß ihm die Welt unveränderbar vorkommen muß, geht es ihm doch einzig darum, sie anders zu interpretieren. Das soziale System wird als abgeschlossenes Ensemble von Rollen aufgefaßt, welche der 'homo sociologicus' anstatt als deformierende Bewußtseinsrollen als Rollenangebote für Schauspieler annimmt; Gantenbeins Freiheit ist die Freiheit der gedachten Möglichkeit, nicht der Tat. Sie ist chimärisch. Die Kritik an Gantenbein ist eine Kritik der Rollentheorie, wie sie sich aus den Ansätzen in Georg Simmels Lebensphilosophie entwikkelt hat.
Sein lebensphilosophisches Erbe verleugnet Frisch keineswegs, zitiert es vielmehr ausdrücklich herbei im Symbolismus der Farben, der eine Sicht der Dinge recht ungünstig beur-

teilt, welcher sich das lebendige "Rot" in eine "lila Herbstzeitlosenblässe" verschattet[61]. Der 'Herbst' ist sonst aber bei Frisch gerade der Abschnitt des Jahres, in dem sich das "Gefälle der Zeit" am deutlichsten spüren läßt, weil in der Reife schon der Tod sich ankündigt. Ein zeitloser Herbst ist also ein schneidendes Paradox. Überdies gehört zur "Vergängnis", dem Gefühl für den Zeitverlauf, auch das Bewußtsein der Wiederkehr, wie ja auch in der linearen Abfolge der Jahre sich die Jahreszeiten zyklisch wiederholen. In der Spannung von "Vergängnis" und ewiger "Wiederkehr des Gleichen" wäre der "Tod", nach Auskunft von Frischs frühem Roman J'ADORE, sinnvoll; fehlt beides, dann bleibt nur das künstlich-giftige schöne Phänomen einer "Herbstzeitlose". Gantenbein steht, weil er die Wiederholung meidet, außerhalb der 'Vergängnis', und jene umgreifende Wunderwelt, die er für Lila, Julikas Nachfolgerin[62], erschafft, ist ein künstliches Surrogat, wo Lila nur als Objekt des Wunders Platz hat:

> Lila ist überhaupt keine Figur. Und das ist ja der Jammer, der erzählt wird. Lila ist eine Chiffre für das Weibliche, das andere Geschlecht, wie das Buch-Ich es sieht [...].

In einem Laden, "umhängt von Kostümen, von Spiegeln umstellt" – die Raummetapher des Romans selbst – ist "Lila nur das Modell für einen ganzen Harem"; von dem roten Kostüm des Lebens rät Gantenbein, der sich an "mancherlei Rot" bloß erinnert, ihr ab. Indessen stößt sein Wunsch nach vollständiger Kontrolle des Weiblichen und der Welt notwendig an Grenzen, weil "er sieht, daß er sieht", weil dieser "Weltenschöpfer" – "Theo" (Frisch liebt ja im Spätwerk griechische Verschlüsselungen)[63] – letztlich unschöpferisch reflektiert. Die Spannung zwischen Gantenbein und der Welt entspringt nicht aus der lebenszeugenden Ergänzung, sondern aus der sterilen Verdoppelung. Indem der "blinde Seher" aus der Gesamtwelt heraustritt, um sie innerlich als erkannte zu rekonstruieren, erschafft er zuerst die Außen-

welt, welche der Eifersüchtige dann fürchtet – Lilas Weltfahrten auf denen Gantenbein sie nicht begleiten kann, sind eine sprechende Situation. *Gantenbein ist blind und eifersüchtig, weil er sieht.* An seine immanenten Grenzen aber stößt sein manipulatorischer Perfektionismus in der Überschwemmungskatastrophe, kurz vor dem endgültigen Verzicht des Buch-Ichs auf eine Erlebnisweise, welche die Merkzeichen der Eifersucht abstreifen möchte[64]. Es gibt kein "anderes Leben". Schon im Vorspiel klang das resignative Motiv an.
Frisch hat ja in diesem Roman die Kleidermetaphorik ausgebaut, da 'Kleider', wie je, Rollen sind, Rollen aber Geschichten, die man anprobiert. Bevor sich das Buch-Ich die Gantenbein-Rolle zulegt, entschließt es sich: "Ich werde mir neue Kleider kaufen", im Bewußtsein: "es hilft nichts", im resignierten Glauben an die Konstanz der Verhältnisse, passend ausgedrückt mit einem Zitat Büchners, des fatalistischen Nihilisten: "[...] immer entstehen die Falten am gleichen Ort, ich weiß es."[65]

IV. Hermes und Christus in "Mein Name sei Gantenbein"

"Hermes ist ja auch [...] der Bote des Todes, der uns in den Hades führt"[66] und soll später, in einer Vorfassung von TRIPTYCHON (s. u. S. 136f.), so auftreten. Hermes ist ein antiquarischer Gott, wenn man sich zum Tode verhält wie Enderlin, der ihm nach der ersten Nacht mit der Geliebten begegnet – außerhalb der Zeit, vor der er sich in ein Museum geflüchtet hat. Wenn Enderlin sein "Kardiogramm" an einen "Wegweiser in der Wüste zwischen Damaskus und Jerusalem" gemahnt, so ist er entzückt über die "Kalligraphie seines Herzens", ästhetisch angeregt, aber er denkt nicht an Hermes, den "Wegweiser". Für Enderlin, den Kunsthistoriker und Ästheten, ist Hermes ein akademischer Gegenstand. – Hermes ist wohl auch der Gott der Oper. Zumindest hatte Frisch Enderlins Liebesleben auf Mozarts *Don Giovanni*-Oper transparent gemacht, und er hatte im GANTENBEIN das Libretto einer "Oper ohne Sänger" eingelegt mit Hermes als Hauptfigur, so daß der Weg des "Nackten" in der Anfangsszene vom Krankenhaus auf eine Opernbühne auch ein hermetischer Weg geworden wäre. Hermes, der freundliche Gott, freilich ist immer Weggeleiter, niemals Ziel.
Wir können nur vermuten, daß Frisch sich recht intensiv mit der Hermes-Gestalt befaßt und daß ihn dazu wiederum Thomas Manns *Zauberberg*, obschon er diesen Roman nie gelesen haben will, angeregt hat, wahrscheinlich auch der *Felix Krull*. Die Oberwelt des *Zauberbergs* ist eine "hermetische Retorte" für Lebensexperimente, und das heißt vor allem: sie schottet sich gegen die Zeit hermetisch ab. Das Grab ist demnach "der Inbegriff aller Hermetik"[67].
In der geistesgeschichtlichen Tradition der Hermetik ist der

Gott auch zum Kenner und Hüter geheimer Wahrheiten geworden, die von Schöpfung und Verwandlung des Lebens künden. Die Goldmacherei der Alchemisten, deren Lehren Carl Gustav Jung wieder entdeckt und neu gewürdigt hat, war nur ein Prüfstein für solche Geheimlehren, die vor allem den schaffenden Grund des Seins, also Gott selbst, offenbaren wollten; doch da die Probe nie gelang, wurde Hermes nicht zum Konkurrenten des Schöpfergottes, sondern blieb der Herr des Todes: auch einer 'toten Kunst'. Solche Kunst schafft keine neue, lebendige Welt, sondern arrangiert 'totes Material' nach geheimen Regeln zu Kopien des Lebens. Hermes ist in Max Frischs Spätwerk deshalb auch der Gott der Esoterik.

Eine zeitlos verzauberte, unlebendige Welt schafft auch Gantenbein "caducifer" mit seinen Blindenstöckchen[68], das hermetische Requisit des zauberkräftigen Stabes; und wir haben ihn wohl nicht zu Unrecht als eine Figuration des Hermes bezeichnet. Zumal er doch zwei weitere Eigenschaften mit dem "Glücksbringer" und "Irreführer" gemein hat, den "Mangel an Stellungnahme" und das "Fehlen der weltanschaulichen Verankerung" – und die Erfindungsgabe. Hermes geleitet das Buch-Ich bis zu der Stelle, wo ein neues Vorbild rettend erscheint.

Jener "Wegweiser", den Enderlin nicht entziffert, befindet sich "in der Wüste zwischen Damaskus und Jerusalem"[69], markiert also, wie man aus der Geschichte des Saulus/Paulus weiß, den Gnaden-Ort der Bekehrung von sündiger Verworfenheit zum wiedergeborenen Dasein des Erlösten. Hermes weist den Weg zum Ort der Erlösung. Zugleich verführt er zum Irrtum. Diese Ambivalenz wird bereits in jener ersten Szene, dem Ausbruch des Nackten aus dem Krankenhaus, entwickelt, denn dieser Ausbruch endet am hermetischen Ort, auf einer Opernbühne, wo man dem Nackten einen "Königsmantel", "himmelblau mit goldenen Quasten" umlegt und ihn dann über den "Kreuzplatz" abtransportiert ins Irrenhaus, wo man ihn verhört: "[...] er habe einen Schrei

ausstoßen wollen. Man nahm es zur Kenntnis. Einen Schrei? Er nickte, ja, mit der Dringlichkeit eines Stummen, der sich verstanden wähnt."[70] 'Verstummen' ist im SCHINZ und vor allem in der CHINESISCHEN MAUER der Gestus des Dichters, der die 'Wahrheit' wollte. Die Inkarnation der 'Wahrheit' ist ja, wie der Anfang des Johannes-Evangeliums lehrt, 'Christus'; er *ist* der schöpferische Bezug zwischen Wort und Welt, den herzustellen sich Hermes vergebens müht. Wer 'Christus' freilich bloß nachahmt, bleibt in hermetischer Unwirklichkeit befangen; deshalb tritt der Nackte auf der *Opernbühne*, dem Reich des Hermes, im *Kostüm* Christi auf. Seine imitatio Christi bleibt unverbindlich und rollenhaft, obschon der Rollenträger sich mit seiner Rolle identifiziert. Weil er die Wahrheit doch nicht verkörpert, muß er stumm sein. Das Kostüm des Erlösers schenkt noch nicht die Gnade.
Nachdem Enderlin, dem der Wegweiser nichts sagt, verabschiedet ist, folgt eine "Geschichte für Camilla: [eine] tröstliche", die irgendwo in der Lebens-Wüste, "halbwegs zwischen Süd und Nord" spielt und vielleicht verrät, was der Wegweiser meinte[71]. Die Erzählung von Ali und Alil stellt, plaziert in der Mittelachse, ein verkleinertes Strukturmodell des gesamten Romans MEIN NAME SEI GANTENBEIN dar. Ihr erster Teil, in einer idyllischen Märchenwelt spielend, wiederholt die Bewegung des ersten Romanteils weg von der realen Wirklichkeit in die erfundene Schein-Wirklichkeit des Glücks mit Lila/Alil – Lilalil. Die spielerische Vereinigung der beiden Namen zeichnet das utopische Ziel, das erst im zweiten Teil des Romans formuliert werden kann, vor: die verwirklichte Liebe[72]. Der erblindete Ali ahnt, wie der eifersüchtige Gantenbein, daß es stets eine Wirklichkeit außerhalb seiner gibt, derer er sich vergeblich zu bemächtigen sucht; von seiner Blindheit geheilt aber erkennt er, daß die geliebte Frau ihm ebenbürtig war, nicht sein willenloses Objekt, sondern in Liebe handelnd: die Frau meistert das Rollenspiel der wahren Zuneigung, das sich der Mann als Privileg reserviert hatte. Diese erlösende 'Erkenntnis' ist in einer tröstlichen

Geschichte möglich, doch wird sie Gantenbein niemals zuteil. Das einzige von vielen "Erlösungsmärchen" im Werk Max Frischs, das sich nicht im Zirkel des Narzißmus verwirrt, sondern das ichbefangene Gleichnis in liebender Erkenntnis auflöst und bewahrt, ist die Geschichte von Ali und Alil[73].

Frischs Existenzial-Poetologie ist inzwischen vollständig; die Exoterik seines Erzählens verfügt über sie. – Am Beginn stehen Angst und narzistische Selbstliebe. Narziß, vom Tode bedroht, will sich selbst erkennen – "man möchte nicht so sehr gefallen als wissen, wer man ist"[74]. Er entäußert sich und gibt sich preis an einen Partner – dies sei, so gibt Max Frisch zu bedenken, "eine Ehe-Frage mehr als eine Talent-Frage". Der Partner soll freilich kein Fremder sein, kein "Untersuchungsrichter" und ebensowenig eine "Verliebte"; was präzise die beiden Rollen wären, welche der Frau im Werk Max Frischs doch immer aufgedrängt werden.
Die Abbildung des ästhetischen Systems auf den sexuellen Code ist vollständig und lückenlos. Der 'Schrecken' macht je den einzelnen, todverfallenen Körper bewußt, und voller 'Scham' muß Narziß einsehen, daß er einsam und der "Partner" fremd ist; 'Scham' ist Reflexion auf die Entäußerung, die 'Eifersucht' ist deren schamlose Überbietung; denn sie versucht, das Außen, den Partner, die angeblich geliebte Frau aus Selbstliebe wieder einzuholen und zu beherrschen. Erst wer die ganze Welt kennt, kennt sich selbst. Es bleibt freilich, weil die Welt sich nicht vollständig buchen läßt, bei der mit Angst gemischten Hoffnung, daß die verdrängte Wirklichkeit ihr Recht erneut anmeldet – von innen im 'Schrecken', oder von außen, im 'Verrat'. 'Verrat' impliziert zweierlei: Etwas 'Wirkliches' wird mitgeteilt (verraten – anvertrauen), aber es wird durch den Akt der Mitteilung selbst zugleich wertlos, vernichtet (verraten – dem Feind preisgeben). Dies ist das Schicksal der – in

Christus personifizierten – 'Wahrheit' in Frischs Werk. 'Unwirklich' und 'hermetisch' wird sie, wenn man sie der Sprache anvertraut.
So beantwortet sich die Frage Walter Fabers: "Was ist denn meine Schuld?" (S. 123) Eben dieses Ausweichen vor der Wirklichkeit in das "Bildnis" in seinem Gedächtnis und dann – nach Sabeths Tod – in das Bildnisreservoir der Sprache. Gerade daß er vor einer echten "Schuld", die ihn mit der Wirklichkeit verknüpfte, in den Bericht ausweicht, wird seine Schuld und die Schuld jedes Mannes in Frischs Werk. Denn die Existenz wird so zum 'Spiel'; und 'Spiel' ist für Frisch, der sich dabei in der Tradition der deutschen Klassik weiß, auch die Kunst. In solchem 'Spiel' aber überhöht sich das 'Leben' keineswegs; es verflüchtigt sich.

So glauben sich Faber und Sabeth beim 'Gipfelblick', als zugleich auch ihr 'Glück' gipfelt, vereint im sog. "Metaphern-Spiel" (Hf 150ff.); als sie jedoch in die 'Ebenen' des 'wirklichen Lebens' hinabsteigen, stellt sich heraus, daß diese Einheit unecht war, wie ja auch in der Metapher die verschiedenen Wortbedeutungen nicht völlig verschmelzen. Die 'Wahrheit', nachdem das Leben 'verspielt' wurde, ist der stumme Tod. Vor ihm hatte Faber vergebens zu fliehen versucht, als er sich zum Romaneingang im 'Schrecken' ankündigte.

Auch Gantenbein war im ersten Teil des Romans der Wirklichkeit ausgewichen und hatte für sich und Lila eine eigene, hermetische Welt schaffen wollen. Seine Eifersucht im zweiten Teil ist nun die friedlose Sucht nach einer Wirklichkeit, die ihm in mythischen Modellen abhanden kommt; Frischs ironisch erweiternde Kontrafaktur der Philemon-und-Baucis-Mythe entlarvt Gantenbeins existenzielle Verblendung[75]. Gantenbein, wie jede männliche Figur, die Frisch nach 1950 erfunden hat, lebt in einer verdoppelten Welt, der inneren Bewußtseinswirklichkeit und der äußeren Realtiät aller anderen. Die Eifersucht gibt nur ein "Beispiel" für diesen Riß "zwischen der Welt und dem Wahn". Sie setzt den Verrat voraus[76].

> Ich lechze nach Verrat. Ich möchte wissen, daß ich bin. Was mich nicht verrät, verfällt dem Verdacht, daß es nur in meiner Einbildung lebt, und ich möchte aus meiner Einbildung heraus, ich möchte in der Welt sein. Ich möchte im Innersten verraten sein. Das ist merkwürdig. (Beim Lesen der Jesus-Geschichte hatte ich oft das Gefühl, daß es dem Jesus, wenn er beim Abendmahl vom kommenden Verrat spricht, nicht nur daran gelegen ist, den Verräter zu beschämen, sondern daß er einen seiner Jünger zum Verrat bestellt, um in der Welt zu sein, um seine Wirklichkeit in der Welt zu bezeugen [...])

Die theologische Negativform des 'Verrats' ermöglicht den positiven Bezug der Auferstehung und Erlösungstat Christi. Doch dessen säkularisierte Form endet mit dem Tod. Gantenbein versucht, den Verrat, der unfreiwillig die Wirklichkeit bezeugt, mit Hilfe eines Tonbandgerätes festzustellen – an den Vergleich der Literatur mit den technisierten Medien (im ersten TAGEBUCH) wäre zu denken. Das technische Mittel versagt – wie üblich; eine touristische Reise nach dem Erlösungsort Jerusalem hatte ebensowenig an das vom Wegweiser versprochene Ziel geführt, und der Pilger fand dort lediglich "die Stelle, wo das Kreuz gestanden hat, der Marmor ist aufgeschlitzt wie ein Kleidungsstück, der nackte Fels wie Fleisch" – "und wir sind das Blut und Leben, das keine Rolle ist, und das Fleisch, das stirbt, und der Geist, der blind ist in Ewigkeit, Amen..."[77] Der 'Körper' ist nicht 'Wahrheit', aber irreduzible 'Wirklichkeit' – schrecklich für alle Helden Frischs, von JÜRG REINHART an; "Fleisch", so empfinden sie, "ist kein Material, sondern ein Fluch" (Hf 171); und eine weitere Metapher verrät, wie jedermann mit solch einem "fleischfarbenen Kleider-Stoff" (St 570) belastet ist, um daraus die 'Geschichten', die man anprobiert "wie Kleider" (MNG 22), zu fertigen: Das Schicksal des Körpers treibt immer neue Scheinwelten des 'blinden' Geistes hervor, in die immer erneut der kreatürliche 'Schrecken' einbricht und sie zunichte macht; jede geistige 'Wahrheit' muß an diesem Prüfstein scheitern, nur ein "Schöpfungswort" könnte hier überwinden. Im 'Erkenntnis'-Augenblick der 'Liebe' erscheint dies möglich und die zeitlos-mystische Einheit von Geschöpf und Schöpfer stellt sich ein; doch sogleich verstreicht der Moment: "Alles bleibt Augenschein"[78]; ein Wort, zu buchstabieren wie "Morgen-Grauen": "Augen-Schein", die scheinhafte Wirklichkeit des Wahrgenommenen, ein *Bild*. Gantenbeins imitatio Christi stiftet keinerlei erlösenden Bezug zur Wirklichkeit, sondern verhilft ihm lediglich zur Wahrheit seiner Rolle: "Mein Name sei Gantenbein! (Aber endgültig.)" Als Gantenbein schon resigniert seinen Namen endgültig angenommen hat, scheint die Tochter "Beatrice" noch die Erlösung zu versprechen, denn Beatrice war ja die Führerin des Dichters Dante zu Gott[79], und ein Kind wurde bei dem "Romantiker" Frisch sonst als das Versprechen künftiger Wirklichkeit aufgefaßt. Doch nicht für Gantenbein; das Kind bezeugt das Dasein des Vaters in der Welt nicht: "[...] die Gegenwart ist nicht der Vater mit der Tochter, sondern die Tochter." So lautet der illusionslose Schlußsatz zu den SCHWIERIGEN und zu SANTA CRUZ, der jetzt erst fällt. Gantenbein hat verspielt[80]. Seine Rolle ist aufgebraucht und abermals spricht die Frau, die man zu lieben vorgab, das Urteil: "All diese Jahre! sagt sie, du hast mich nie geliebt!" Als er vor dem obligaten Gericht um seine Wahrheit befragt wurde, warf man ihm vor: "Ein Blinder ist kein *Zeuge*", und als jetzt im Verhör resümiert wird, gesteht er selbst: "Ich erlebe lauter Erfindungen." Gantenbein hat sich nichts zuschulden kommen lassen – 'Leben' aber heißt: schuldig werden – und er bleibt deshalb unerlöst; das Urteil lautet, daß er sein Leben versäumte. So hat er wohl kaum wahres Leben gestiftet, und es muß deshalb ungeklärt bleiben, ob sein angebliches Kind von ihm "gezeugt" ist (vgl. S. 293–309). Damit ist, vom Geschichten erfindenden Buch-Ich über den Geschichten lebenden Stellvertreter, der Stab gebrochen, und Max Frisch hat, von seinen Grundsätzen her, der Kritik des Dilettanten ein weiteres Kapitel hinzugefügt. Wie weit die Innenwelt auch ausgedehnt wird, die Wirklichkeit bleibt außen, und der eigene Körper gehört zu der anonymen Wirklichkeit – die innere Welt ist eine Welt im Kopf.

An dem Roman MEIN NAME SEI GANTENBEIN fällt, im Kontrast zum STILLER, der 'abrupte Schluß' auf, den er, trotz der Verdrängung der Tiefenpsychologie, mit psychoanalytisch inspirierten Romanen wie Ingeborg Bachmanns *Malina* oder auch Alfred Döblins *Hamlet* teilt[81]. Natürlich auch mit dem *Zauberberg* von Thomas Mann. Sie alle enden mit einem abrupten Durchbruch zur Wirklichkeit, der im Roman freilich langhin und subtil vorbereitet ist.

Neben dem (unmöglichen) Durchbruch aus der Rolle zur Wirklichkeit, lanciert die Beispielgeschichte vom Diplomaten (S. 118ff.) eine zweite, der Literatur gemäße Lösung, die auch in BIOGRAFIE gilt. Dort verwirklicht Antoinette *ihre* Rolle, und Kürmann ist, im Wahn seiner männlichen Egozentrik, düpiert; könnte er seine Rolle völlig erfüllen wie Antoinette, so wäre er mit sich selbst identisch, – könnte er sich gänzlich von dem Rollenschema distanzieren, so wäre er frei. Stattdessen bleibt er bei dem Versuch, die Rolle zu verneinen, an sie gebunden. Der Diplomat jedoch verwirklicht diese Hoffnung, die bereits Stiller einmal vorschwebte:

> [...]man müßte imstande sein, ohne Trotz durch ihre Verwechslung hindurchzugehen, eine Rolle spielend, ohne daß ich mich selber je damit verwechsle [...] (S. 590).

So wird im GANTENBEIN insgesamt denn zuletzt, erstmals im Werk Frischs, Lebens-Wirklichkeit dargestellt und damit die Fiktion ausgegrenzt und anerkannt. "Alles ist wie nicht geschehen ..."[82] Die wenigen abschließenden Zeilen anullieren die aussichtslosen Geschichten in einer geschichtlich erfüllten Gegenwart; sie verhalten sich zu den erfundenen Rollenentwürfen wie der lichte Tag zur Schattenwelt der "gar nicht kühlen Gräber". Der Schlußszene glückt die Schilderung einer 'Auferstehung', indem sie darauf verzichtet, das biblisch-'mythische' Modell der imitatio Christi ausdrücklich zu vollenden; es bleibt im Totenreich der 'Geschichte' zurück.

Der STILLER stand unter dem poetologischen Postulat, Wirklichkeit und sprachliches Bild zu vermitteln, und unter der konträren lebensphilosophischen Prämisse, wonach die Sprache nur lügenhafte und sündliche "Bilder" projiziert; der Begriff von 'Wirklichkeit' denunzierte den Roman, der folglich nur noch als seine eigene Negation möglich wurde[83]. Die Fiktion im STILLER herrscht zwar absolut, aber nicht autonom – ein Parasit, der sich von der Wirklichkeit nährt, indem er sie aufzehrt. In den beiden Parabelstücken wird schließlich die weltschaffende Rede, deren Effekt wir als 'falsche Vermittlung' beschrieben haben, völlig autark und bedarf nicht einmal mehr des Bewußtseins als eines 'Bildnis'-Produzenten. Dieses autarke Sprechen nun ist die Vorstufe für die autonome Sprache in MEIN NAME SEI GANTENBEIN. Das Buch-Ich anerkennt die Fiktion und beansprucht keine Wirklichkeit für seine Geschichten. Damit anerkennt es die 'Schuld', die ja ebenso im Erfinden vieler möglicher Geschichten besteht, wie in der Verwirklichung nur einer. Die doppelte Schuld wird bejaht – es bleibt bei *einer* wirklichen 'Erfahrung' und *vielen* 'Geschichten' –, und in diesem Akt der zwiefachen Bejahrung relativieren sich dessen zwei Intentionen, deren jede bisher ja die Negation der anderen war. Die falsch vermittelte Negationsformel des Mr. White wird zuletzt durch das affirmative Geständnis des Buch-Ichs ersetzt: "Leben gefällt mir."

Im Modus der Fiktion wird das Sprechen gänzlich davon befreit, Wirklichkeit abzubilden, und darf, erlöst von dieser denunziatorischen Bindung, den eigenen Gesetzen der Sprache folgen. Der Verlauf der Geschichten folgt zwanglos den assoziativen Wegen der Metaphern; 'wesentliche Metaphern' – etwa die 'Blindheit' – fungieren in MEIN NAME SEI GANTENBEIN als "generateurs" für die erzählten Episoden, ohne daß es, wie in den beiden vorigen Romanen, zu "üblen Gags" käme[84]; ist doch eine Kritik des Symbols obsolet, wenn die Leistung des Symbols – nämlich die Grenzen zwischen Fiktion und Wirklichkeit zu verwischen – überflüssig wurde. Eine falsche Vermittlung anzuprangern, ist unsinnig ohne das Regulativ einer echten. Nachdem Frisch auf die literarische Kontrollinstanz der 'Wirklichkeit' verzichtet hat, wird der Negativraum des Fiktionalen als deren Hohlform erkennbar, und das völlige Aussprechen des Uneigentlichen grenzt, getreu jenem Eintrag aus dem TAGEBUCH 1946–1949, das Eigentliche, das "Weiße zwischen den Worten", ein; deshalb tritt der Geschichte, nachdem ihr Potential völlig erschöpft ist, abrupt die Wirklichkeit gegenüber, die sie im Verzicht hervorgetrieben hatte. Zu diesem "großen Mittag", an dem ein Erlösungsmahl mit den konkreten Symbolen biblischer Gastmähler gefeiert wird[85], werden die Motive der schuldigen Geschichten vergegenwärtigt – auf der Höhe der Zeit, im Moment des Abschieds: "[...] aber schon wieder September; aber Gegenwart [...] Leben gefällt mir." Erst aus der doppelten adversativen Brechung – "aber, aber" – ergibt sich das "einfache Leben".

V. Die irreduzible Geschichte in "Biografie: Ein Spiel"

Gantenbein wird von den beiden Figuren Svoboda und Enderlin flankiert, die jeweils eine Tendenz seiner Erlebnisweise programmatisch überspitzen, und der nächste Verwandte von Enderlin in Frischs Werk ist Hannes Kürmann[86]. Wenn wir verstehen, warum die Erlebnisweise Enderlin aufgegeben wird und Gantenbein sich nach der Buchmitte ändern muß, so wissen wir, warum sich Kürmann lächerlich macht.
In den dramaturgischen Nachträgen zu BIOGRAFIE: EIN SPIEL fällt erstmals das Stichwort "Bewußtseinstheater" und zwar in einer pointierten Bedeutung, die Max Frisch von Martin Walser übernehmen kann, weil sie auch aus der zeitlichen Folge seines Theaters resultiert. Aus einem Apercu des GANTENBEIN-Erzählers, den Enderlin verdrießt, erwächst die neue Konzeption des Möglichkeitstheaters, das mit der alten Bewußtseinsdramaturgie zu bewältigen wäre[87]:

> Es geschieht etwas, und etwas anderes, was ebenso möglich wäre, geschieht nicht, und eigentlich liegts nie oder selten an einer einzelnen Handlung oder an einem einzigen Versäumnis [...]

Diesen Argwohn gegen die schicksalhafte Peripetie, den Wendepunkt bevor – in der klassischen Tragödie – die Katastrophe ihren Lauf nimmt, hätten die Zuschauer der beiden Parabelstücke durchaus schöpfen können, wenn der BIEDERMANN-Chor über den "Blödsinn, nimmerzulöschenden" eines gefälschten Schicksals jammert und wenn Andris Entscheidungsmonolog am Wendepunkt auf falschen Voraussetzungen beruht[88]; Frischs Absicht zumindest war es, zu zeigen, wie sich unmerklich, aus läßlichen Verfehlungen schließlich das große Unheil entwickelt – ohne den entscheidenden Wendepunkt. Immerhin, und dies ist sein zweiter Einwand, hatten ihn die Reaktionen des Publikums belehrt, daß der "Hang zum Sinn" nicht so leicht auszurotten sei und deshalb die langsame Entwicklung als unabänderlich empfunden wurde. BIEDERMANN und ANDORRA wollten die irrige Auffassung widerlegen, daß nur in großen, welthistorischen Entscheidungsmomenten etwas zu verändern sei; nach ihrer Fehlrezeption muß sogar noch verhandelt werden, ob denn Veränderung überhaupt möglich ist und warum sie sich kaum einmal ereignet. Darum geht es in Frischs "Möglichkeitentheater", dem "Spiel" BIOGRAFIE.

Die 'Spiel'-Hypothese wird in einem Motto aus Tschechows *Drei Schwestern* an den Anfang gestellt:

> Wie, wenn man das Leben noch einmal beginnen könnte, und zwar bei voller Erkenntnis?

Der Leser des Mottos kennt das resignative Ende dieser Überlegung für Tschechows Figuren; er weiß auch, daß sich in dessen Stück ein Spannungsfeld von selbstbestimmt-engagierter Zukunftsgestaltung und provinzieller Wiederholung öffnet und daß sich diese durchsetzt. Wie gerade die Absicht, provinzieller Geschichtslosigkeit zu entgehen, zum Motiv der 'Wiederholung' wird, demonstriert Max Frisch und pointiert damit Tschechows Alternative ebenso dialektisch, wie später – im TAGEBUCH – Tolstois Konzept der Gewaltlosigkeit. So integriert er beide russische Autoren der vorrevolutionären Ära in die Thematik von 'Geschichte' und 'Veränderung', wie sie ihn in der Ära der Studentenrevolte neuerlich reizte.

Ebensowenig war das Thema 'Möglichkeit' neu, wohl aber die Variante, die ihm der späte Frisch abgewinnt. Ein "inneres Gesetz" hatte er in SANTA CRUZ propagiert und die Gefahr seelischer Überdetermination in der CHINESISCHEN MAUER beschwörend vorgestellt. Angepaßt an ihre Rollen verpaßt die Menschheit ihre Möglichkeit des Weiterlebens und tanzt bewußtlos im Kreis eines historischen Maskenballs: "Musik wie zu Anfang"; Kürmanns Lebensproben werden von den Klängen einer Spieluhr und wiederholten musikalischen Übungen begleitet. Das Spiel BIOGRAFIE aber verwendet jene ältere Konfiguration des Bewußtseinstheaters und Hannes Kürmann übernimmt darin die Rolle des Intellektuellen, der zum Taumeltanz der Welt Stellung nimmt. Bald nach der Konzeption von BIOGRAFIE: EIN SPIEL hat Frisch DIE CHINESISCHE MAUER neu, zum drittenmal, bearbeitet[89].

Ähnlich wie MEIN NAME SEI GANTENBEIN reflektiert auch das dramatische Pendant ein vertieftes poetologisches Interesse, so daß die Frage, ob die Praxis nun Frischs theoretische Vorüberlegungen bestätige oder widerlege, kaum befriedigend zu beantworten ist; sie ist falsch gestellt. *Die Poetologie ist* nämlich, wie in dem Roman, *nicht eine Voraussetzung, sondern ein Teil des Werkes*; macht der Entstehungsprozeß eines Textes doch den Text selbst aus, wie es der Titel ankündigt: BIOGRAFIE. Ähnlich dem "jungen Mann" in der CHINESISCHEN MAUER und jedem anderen "heroe as playwright" inszeniert Hannes Kürmann die Bilder seiner Phantasie[90]. Das Stück BIOGRAFIE unternimmt weder die Bestätigung öffentlich vorgetragener dramaturgischer Thesen, noch ist es deren Widerruf; vielmehr wird am Modell untersucht, wie ein Stück, das den vorgelegten Thesen entspräche, verfaßt werden könne. Max Frisch nennt sein *poetologisches Bewußtseinstheater* ein "Drama der Erkundung".

Denn der Protagonist spielt eine Doppelrolle, agiert einmal, in den Handlungsszenen, als Figur mit partiellem Bewußtsein, dann aber, im Reflexionsrahmen, als Figuration eines Bewußtseinsteils. Sein Part dort erschöpft sich in subjektiver "Imagination", während der Registrator ihm assistiert, "indem er ihn objektiviert"[91]; er verwaltet das "Dossier", die Summe dessen, was Kürmanns Geschichte ausmacht, doch kennt er überdies alle objektiven Möglichkeiten. Kürmann seinerseits ist es bald – wie James Larkin White – überdrüssig, "in einem Dossier zu blättern, das mich hinten und vorne nichts angeht": Nimmt doch die produktive Imagination in der Auseinandersetzung mit der reproduzierenden Vernunft, immer nur an, was zu ihr gehört[92]; es ist richtig: "[...] keine Szene paßt ihm so, daß sie nicht auch anders sein könnte. Nur er kann nicht anders sein." Kürmann eignete sich Max Frischs These an und versuchte, in seiner Lebensgeschichte den 'Zufall' zu akzentuieren, wobei er sich jedoch in der Natur des Zufalls täuschte.

"[...] nicht der Zufall entdeckt, sondern der Menschengeist, der am Zufall erkennt" – philosophiert der Rektor anläßlich des Kürmannschen Reflexes, und diese Festredenfloskel erfaßt genau den Gehalt jenes Reflexes, der sich einstellt, wenn Kürmann sein Leben reflektiert. Dessen fachlicher Erfolg und die private Misere sind analoge Ergebnisse eben des doppelsinnigen "Kürmannschen Reflexes": 1959 erhielt er eine Professur und brachte Antoinette dazu, ihn zu verführen, und sieben Jahre später, 1966, laufen wissenschaftliche und Ehekarriere auf einen Endpunkt zu: seine Ehe und die große Entdeckung des Forschers erweisen sich als Fehlschluß. – In der SCHILLERPREISREDE hatte Frisch eine neue Dramaturgie gefordert, namens eines Lebens, in dem es Zufall und verändernde Entwicklung gibt. Kürmann aber verläßt – als Wissenschaftler wie als Protagonist im "Theater eines wissenschaftlichen Zeitalters"[93] – den Gesamtzusammenhang des Lebens und stellt sich dem Leben als seinem Objekt gegenüber und versucht, das zufällige Ereignis ins Gesetzliche zu transformieren: "der Zufall als solcher [aber] läßt sich nicht berechnen." Diese Bewegung Kürmanns ist die Bewegung Enderlins und Gantenbeins, und Kürmanns Verzicht auf Weltveränderung ist konsequent wie der des blinden Rollenspielers. Übrigens hätte schon beim andorranischen Lehrer Can keiner die biographischen Antriebe hinter seinem Weltveränderungsdrang vermutet: "Sie stehen unter dem Verdacht, daß Sie die Welt verändern wollen. Niemand wird auf den Verdacht kommen, daß Sie bloß Ihre Biografie verändern wollen." (S. 528) Andere, nähere Verwandte sind Dr. Philipp Hotz, der intellektuelle Conferencier, und Walter Faber, der Naturwissenschaftler. Wie dieser verwandelt Kürmann den Zufall, sofern er seine Rechnung voranbringt, in Notwendigkeit und ignoriert ihn, sobald er zu Revisionen zwänge. Er hält sich an Hypothesen und Pläne und lebt aus Erfahrung.

Der Name "Kürmann" soll bedeuten: 'einer, der wählen kann'. Die ironische Pointe liegt jedoch darin, daß mhd. "kiesen", das zugrundeliegende Verb, gerade nicht beinhaltet 'beliebig wählen', sondern: 'wählen nach der Gesetzlichkeit'[94]. Kürmanns Charakter, den schon die Jugendepisode mit dem Schneeball – eine Aggression aus Rechthaberei – verdeutlicht, zwingt ihn, aus Antoinette Stein sein Schicksal zu machen: Wie Sisyphos (s. o. S. 42), der sich unermüdlich mit dem absurden, geliebten 'Stein' abmüht, erfindet er sich irgendein Schicksal, weil er es nicht ertrüge, keines zu haben. Daß sich Antoinette am Schluß anders entscheidet, bestätigt, wie beliebig Kürmanns Fixierung ist, während die fixierende Regel erhärtet wird; Antoinette hat nur ein anderes, beliebiges "Schicksal". Man übersieht leicht, daß auch die "Freiheit" der "Dame" gesteuert ist[95].

Was bezweckt dann aber eine Bewußtseinsdramaturgie, welche dem Imaginationszentrum einen Registrator beigibt? Wenn immer Kürmann spontan einen Zufall nützen könnte, erinnert ihn der kalkulierende Teil des Bewußtseins daran, in welche Kausalketten er einschwenken würde und stellt ein deterministisches Ganzes her; die Spaltung von Gesamtwelt und Objektwelt wird in der Konstellation von Kürmann und Registrator psychisch abgebildet[96]. Im Schaffensprozeß vertritt der Registrator, ähnlich dem "Malina" in Ingeborg Bachmanns gleichnamigen Roman, jene "Instanz", die Kreativität fixiert; er ist gleichsam die 'Öffentlichkeit innen'.

Die Situation des Spiels, welche Korrekturen ermöglicht, verhindert auch, daß solche Korrekturen zustande kommen.

Denn das 'Spiel' ist ein *Erinnerungsspiel* – Kreativität wird von Erfahrung ausbalanciert und es zeigt sich etwas, was jenseits des Programms des Dramatikers Kürmann liegt, "ja was erst als Durchbrechung seines Programms sichtbar wird, was gegen seine Intentionen einfließt: das Programm besteht darin, sich selbst auszukommen, [eine Biografie] zu erfinden aus einem 'Nichts'. Dieses angestrebte Nichts aber stellt sich als *Struktur einer Subjektivität* heraus, die sich in allen Erfindungen niederschlägt."[97] Auch im Fall Kürmann ist 'Schicksal' eine hermeneutische Zwangs-Kategorie. "Ich kenne das", heißt Kürmanns Lieblingsspruch und der Registrator hält ihm vor:

> Sie verhalten sich nicht zur Gegenwart, sondern zu einer Erinnerung. [...] Sie meinen die Zukunft schon zu kennen durch ihre Erinnerung. Drum wird es jedesmal dieselbe Geschichte.

Walter Faber wiederholt, im Gedächtnis an Hannah, nach Jahrzehnten seine Jugend-Geschichte, nun allerdings mit Hannahs Tochter von ihm, die so ähnlich wirkt, wie jene erste Besetzung der Geliebten-Rolle. Dasselbe widerfährt aber auch dem Buch-Ich mit "Gantenbein". Jede Geschichte mündet in Erfahrung. Als die neuen Kleider vor dem Spiegel anprobiert werden – als die wechselnden Geschichten im Reflexionsroman gemustert werden –, da wird ihm das "Entzücken" der anderen, "während ich meinen Hinterkopf sehe, der nicht zu ändern ist", zunehmend zur Pein. Die Reflexion verrät, daß bei varianten Geschichten konstant die Struktur des Gehirns beharrt – man muß sich an Gottfrieds Benns gehirnphilosophisches Pathos erinnern, um Frischs lakonische Bosheit auszukosten. Sein Hirnstamm macht den Menschen zur 'Marionette'. Benns, vom biologischen Monismus des späten 19. Jahrhunderts inspirierte Neigung, den Menschen als Funktion des Hirnorgans zu betrachten[98], wird während der siebziger Jahre in der literarischen Rezeption des Poststrukturalismus, etwa bei Botho Strauß, ihre Renaissance erleben, und so wird auch Frischs Spätwerk in der Treue zu seinen geschichtlichen Voraussetzungen neuerlich aktuell. Daß sich, im Medium geistiger Sinnentwürfe, auch die Dramaturgie der Permutation nicht wahrmachen ließ, ist kein überraschendes Nebenprodukt, sondern die Antwort auf die theoretische Frage des "Spiels" BIOGRAFIE gewesen. Denn die Distanzhaltung der Kunst schließt das Wagnis des Lebens aus.

– *Kurzer Hinweis auf den Ahnherrn Pirandello und auf Max Frischs Spiel mit der Tradition*

Wenn wir Kürmann so als den Autor seiner Lebensgeschichte auffassen und nicht als das Subjekt seines Lebenslaufes, dann rückt Max Frischs Stück auch in die literarische Tradition ein, die es selbst anspricht: "ein Urenkel Pirandellos"[99]. Die Wandlung des Spiels im Spiel zu einem poetologischen Spiel über das Spiel hatte das Publikum in den Zwanziger Jahren dermaßen schockiert, daß die Uraufführung von *Sechs Personen suchen einen Autor* einen Theaterskandal auslöste.
Weil sich Frisch spätestens während der römischen Jahre intensiv mit Pirandello beschäftigt hat, sind treffende Kommentare wie der folgende zu Kürmanns Problematik – oder Gantenbeins – in Pirandellos Erfolgsstück keine Seltenheit:

VATER Für mich besteht das Drama darin, Herr Direktor: Mir ist bewußt, daß jeder von uns sich für "Eines" hält, aber das stimmt nicht. Er ist "Vieles" entsprechend all den Möglichkeiten des Seins, die in uns liegen. "Eines" mit diesem, "Eines" mit jenem – und mit völlig Verschiedenem! Und dabei stellen wir uns vor, für alle immer "einer" zu sein, und zwar stets dieser "Eine", für den wir uns bei jeder unserer Handlungen halten. Das stimmt aber nicht! Das ist nicht wahr. Es wird uns klar, wenn wir durch einen unglücklichen Zufall plötzlich an irgendeine unserer Handlungen gekettet sind. Das heißt: wir erkennen, daß diese Handlung nicht unser ganzes Wesen ausdrückt und daß es daher eine fürchterliche Ungerechtigkeit wäre, uns allein nach ihr zu beurteilen [...]

Insbesondere zu Kürmann paßt ja keine der Situationen, in denen er sich befindet.
Allerdings hat sich der Kontext, in den solche Äußerungen eingebettet sind, invers verkehrt. Während nämlich die sechs geschichtslosen Personen von der künstlerischen Darstellung eine erlösende, sinnvolle, verbindliche Geschichte erhoffen, soll die Instanz des Theaters Herrn Kürmann von der bindenden und unsinnigen Geschichte befreien, die er hat. Im Verlauf der Handlung ergibt sich eine weitere Inversion, so daß die beiden Stücke wie eine symmetrische Spiegelung voneinander erscheinen. Während das bewegliche, lebendige Probenspiel des Theaters immer wieder in Kürmanns fixes Lebensmuster gerinnt, wirken die Schauspieler bei Pirandello weniger intensiv und vital als die Personen, denen sie Wirklichkeit verleihen sollen; während Pirandello das routinierte Rollentheater kritisiert, weil es die lebendige Kunst einzwänge, kritisiert Frisch, am Beispiel des Theaters, die Rollenproduktion des kreativen Künstlers und jedes denkenden und Geschichten erfindenden Menschen. Bei Pirandello verflechten sich lebendige Kunst und konventionalisiertes Theater-Leben zuletzt katastrophal und ein "Knalleffekt" muß den Knoten sprengen: Der Tod der zwei Kinder übersteigt beide Daseinsformen. "Pirandellos Urenkel" hat in diesem Punkt dem Ahnherren anscheinend folgen können[100].
Nachdem der Mann im zweiten Teil des Stückes versucht hatte, sich mit seinem Schicksal Antoinette Stein zu arrangieren – eine Art neuer Schlußakt zur Ehe-Romanze SANTA CRUZ – und im Spiel keine der angebotenen Möglichkeiten ergriff, verurteilt ihn die Wahl der Frau im Ernst zur Freiheit – nicht im Zeichen des Spiels, sondern des definitiven Todes. Damit rückt aber die Kunstwelt in eine Äquivalenz: Der uneigentlichen Todesszene des künstlichen Wiederholungsspiels antwortet eine todverfallene Wirklichkeit; ein 'abrup-

ter Schluß', sachlich, aber illusionslos bitterer als im GANTENBEIN, allerdings gemildert durch "Gelassenheit": "Ich habe es als Komödie gemeint."[101]
Auffällig nun, daß hier, wie vorher im Roman, die Formbedeutung des Zitierens kaum noch ausgebeutet wird. Zwar werden die literarischen "Hausgötter"[102] erneut versammelt, Kleist und Büchner, D. H. Lawrence und Strindberg, aber sie geben befreiende Stichworte für neue Geschichten, anstatt sterile Produktionsmuster anzubieten. Wenn etwa Kürmann Pirandello erwähnt, läßt das, Traditionsverarbeitung diffamierende, Kennmotiv steriler Homosexualität auch hier nicht lange auf sich warten, um nun sogleich zur möglichen Geschichte ausgesponnen zu werden, die Kürmann sogar leichthin verwirft. Ähnlich heuristische Funktion hat die Kleistvariation über den "Bäckermeister von O." oder die Erprobung Strindbergscher Eifersucht und Lawrencescher Ausbruchstopik im Roman[103]; *Variation im Raum des Möglichen bestimmt die 'hermetische' Quellenverarbeitung Max Frischs während dieser Jahre*; 'hermetisch' heißt sie, weil anstelle der psychologisierten, banalen Zitate und Reminiszenzen jetzt exklusive Anspielungen zur potenzierten Künstlichkeit der Sprache beitragen; sie vermehren die Zahl der fiktiven 'Geschichten', mit denen Frischs exoterische Vokabeln spielen. Und Hermes ist der Gott, der über den Spiel-Raum der Geschichten herrscht. Für Max Frisch, der im TAGEBUCH eine "mögliche Form" seiner Existenz gefunden hatte, war die Frage, ob auch solche "Biographie" dem Gesetz des Hermes gehorche, unausweichlich. Ist auch für den Diaristen das eigene Leben nur 'Stoff' für Konstruktionen des Geistes, das Tagebuch also nur ein Fluchtraum der Selbstbelügung? Frischs TAGEBUCH 1966–1971 setzt sich dem 'Schrecken' aus – in einem gelassenen Experiment.

VI. Tagebuch und Zeit-Geschichte

Das zweite übertrifft Frisch erstes, an Ludwig Hohl orientiertes TAGEBUCH in der Konsequenz der Komposition wie in der Mannigfaltigkeit der hier vereinigten Texte: Fragebogen – "zu fragen bin ich da", hieß es in dem berühmten Ibsen-Zitat des TAGEBUCHS 1946–1949 (S. 467) – spitzen sich zu Verhören als Teil des Wahrheitsfindungsprozesses im Gerichtsmodell zu; dokumentarisch werden einige, anderweitig veröffentlichte Texte einmontiert, wie auch fremde als Beleg in den sorgfältig recherchierten Berichten zum Zeitgeschehen; dazu treten die frei erfundenen Dokumente über die "Vereinigung Freitod", die subjektiven Reisenotizen, die unverstellt fiktiven – später sogar gesondert publizierten[104] – Erzählskizzen. *Die Möglichkeit der Welt-Erfassung durch Literatur in ihrer zeitgenössischen Spannweite vom Dokumentarismus bis zum Artistisch-Fiktiven wird in diesem* TAGEBUCH *experimentell überprüft.*

Formal wird die Fülle des Heterogenen durch den einheitlichen Bezug auf das diarische Ich verklammert; all dies gehört dessen Erlebniswelt an. Doch über die Koordinaten dieser Weltanschauung ist damit nichts ausgesagt. Diese könnten erst deutlich hervortreten, wenn das System subtiler Verweisungen zwischen den Partikeln herauspräpariert wurde; indessen ergaben ja auch im ersten TAGEBUCH die "Steine eines Mosaiks" (S. 349) noch kein Welt-"Bild". So muß bei den Interpretationen der einzelnen Teile ein Ganzes mitgedacht werden, dessen Fehlen programmatisch gemeint ist:

> Was ist eine Welt? Ein zusammenfassendes Bewußtsein. Wer aber hat es? (Tb I 450)

Frisch jedenfalls bevorzugt seither "die Skizze als Ausdruck eines Weltbildes, das sich nicht mehr schließt oder noch nicht schließt" (Tb I 448); deshalb akzentuiert erst der Kontext in einer Erzählung, was mit dem Titel gemeint ist: STATIK (s. o.). Er schärft unsere Aufmerksamkeit für ein zweites, zu dem überall auftauchenden 'Riß' antithetisches Leitwort: "Ordnung" (S. 368, 371). Die 'Risse' sind Verschleißerscheinungen und treten im Lauf der Zeit auf, wenn es nicht der 'Statik' gelingt, die Zeit auszuschalten durch eine Kunst-Konstruktion und somit 'Geschichte' zu verhindern: Für jedes Lebewesen hat die Zeit ein Gefälle zum Tod hin; der Mensch ist stets der Zeit verfallen, so daß für ihn 'Statik' nur als eine Täuschungsstrategie denkbar ist, auch der Selbsttäuschung: "Er fürchtet sich vor Unordnung."[105] Solche Verdrängung der Wirklichkeit erzeugt (Todes-)Angst, und die Angst des alternden Menschen sucht, um der Unsicherheit Herr zu werden, Halt in einem manischen Ordnungsverlangen. 'Ordnung' ist aber die Leitidee und das Leitwort für die politischen Aktionen der Mächtigen; 'Altern', die Annäherung an den Tod, hingegen das Zivilisationsproblem, dem die Vereinigung Freitod vergebens abzuhelfen sucht. Die Erzählung STATIK entwirft vom Einzelfall her den psychologischen Bedingungsrahmen für eine "law and order"-Politik als einer scheinstabilisierten Krise, während die skurrilen Aktivitäten der Vereinigung Freitod beiläufig (vom Autor jedoch schlüssig arrangiert) die generellen, sozialen Bedingungen aufdekken, auf denen eine solche trügerische Stabilität aufruht. Die Senilität manifestiert sich, unabhängig vom Alter, in der unbeirrten Leugnung von Geschichte und verleiht eine ebenso unbeirrbare Effizienz in der Konservierung jener Machtstrukturen, die tatsächlich Geschichte und Veränderung verhindern. Die Krise des Alterns ist nicht privat. Indem sie verdrängt wird, avanciert sie zur Metapher globaler Geschichtsunfähigkeit und Saturiertheit: "Geschichtslosigkeit als Komfort" (S. 12). Das 'Gedächtnis' dient lediglich dazu, bei der Reproduktion des Immergleichen Exaktheit zu gewährleisten, eine tödliche Mechanik im Kreislauf der individuellen – in BIOGRAFIE vorgestellten – wie der Welt-Chronik, wie sie dort gleichfalls eingeblendet und in der Masken-Polonaise der CHINESISCHEN MAUER inszeniert wurde: "Es wird sich nichts mehr ändern."[106]

"Macht" präsentiert sich als "ein Wesen mit Tradition", "das Ruhe liebt" (S. 278); bei der Besichtigung ihres Sitzes, des Weißen Hauses in Washington/D.C., fühlt sich das Tagebuch-Ich an den Tagungsort der Vereinigung Freitod, das "Kurhaus Tarasp" (S. 281) erinnert, und da diese Besichtigung am Tag nach der amerikanischen Invasion in Kambodscha stattfindet, erweist sich hier Gewalt als Reflexverhalten der Geschichtslosigkeit: Nicht zufällig beherbergt das, in der Unschuldsfarbe 'weiß' getünchte 'Haus' doch eine, den heimischen ähnelnde "bräunliche Zunftstube" – Faschismus findet bei Frisch seine Begründung in der gewalttätigen Irritation vor geschichtlicher Veränderung, in der Schweiz wie anderswo[107].

Nun zeichnet sich das TAGEBUCH als Alterswerk eben gerade auch durch Nachdenken über das Altern aus. Und daran entfaltet der alternde Autor exemplarisch jene *Paradoxie*, welche die Elemente dieses TAGEBUCH-Mosaiks zu ordnen vermag: "alt werden" bedeutet wohl "starr werden", aber zugleich – in der Reflexion dieser Erstarrung – wieder *Unsicherheit* und Selbstzweifel. Diese zentrale Erfahrung beim späten Frisch hat die Literaturkritikerin Elsbeth Pulver in ihrer klugen Lektüre des TAGEBUCHS weiter ausgelegt:

> Eine eigenartige, beunruhigende Spannung zeichnet sich in Frischs Tagebuch ab: da ist einerseits, nicht zu übersehen, seine Tendenz, dem Leser und sich selbst ein Verharren in einem Zustand der Sicherheit unmöglich zu machen, ihn zu Fragen und Zweifeln zu führen (es ist eine Tendenz, mit der er in der gegenwärtigen Literatur nicht allein steht). Aber andererseits hat er immer wieder Unsicherheit als eine fast unerträgliche Erfahrung dargestellt. Er hat das Alter gezeichnet als einen Prozeß des wachsenden Zerfalls, des Zweifels am eigenen Wissen, des Ver-

lusts früherer Erfahrungen und Leistungen, und umgekehrt verlangt er in der Rolle des Handbuch-Autors als Ausweis der noch vorhandenen Lebendigkeit "die Fähigkeit, ein Problem anders zu sehen als gestern, die eigenen Antworten von gestern in Frage zu stellen".

Deshalb wird in den Fiktionen weitergedacht, wo die Realität blockiert: Auf 'Risse' im 'Haus' einer bürgerlichen Lebensordnung reagiert der Architekturprofessor mit jener Ratlosigkeit, die sich die Macht-Inhaber nicht gestatten, während das Tagebuch-Ich sie zu teilen scheint.
Indessen erweitert die, Tolstois *Kreutzersonate* nicht einholende Skizze GLÜCK (s.o.) wenigstens das Spektrum möglicher Verhaltensweisen, reagiert sie doch auf das Dilemma einer Spätzeit zunächst einmal mit der, nun ironisch getönten Resignation des Tagebuchschreibers von 1947: "[...] auch schon gesagt" (GW II, S. 515). Weil die Geschichte sämtliche Rollen-Masken feilbietet, wird die Enge jener einen, die man tragen muß, unerträglich. In den vierziger Jahren allerdings öffnet sich dem Schüler C. G. Jungs angesichts des historistischen Dilemmas ein Ausweg[108]:

COLUMBUS Auch Euch, mein junger Mann, verbleiben noch immer die Kontinente der eigenen Seele, das Abenteuer der Wahrhaftigkeit. Nie sah ich andere Räume der Hoffnung.

Später, seit der auch im TAGEBUCH dokumentierten Endstufe des Bewußtseinstheaters in BIOGRAFIE[109] hat dieser Ausweg sich als Falle erwiesen; "keine Verinnerlichung der Umwelt, sondern ein Gegenschlag", so müßte jetzt die Devise lauten, und damit war der anarchistischen Neigung des Schriftstellers Frisch – man denke an Stillers Wüten, an die Brandstifterei "aus purer Lust" (IV, S. 388), an die Revolte in Öderland – neuerlich Bahn gebrochen. Es ist jedoch fraglich, wieweit ein literarisches Denkschema, wonach die Gewalt eine Pointe des Ästhetizismus sei, uns bei der Analyse politisch-sozialer Prozesse trägt, und deshalb stellt das "unsichere" Tagebuch-Ich denn auch die Taktik, sich erst einmal durch 'blinde' Gewalt Handlungsspielräume zu öffnen, sogleich in Frage[110], ohne indes zu bestreiten, daß gerade für die junge Generation der offene Raum der Zukunft gleichsam zubetoniert ist: Die Straßen und Gebäude der Städte werden zum Zeichen einer 'ordentlichen' Domestizierung der menschlichen Natur, und selbst die freie Naturszenerie entpuppt sich als "Plagiat" vorgegebener Kunst-Ordnungen und untersteht dem gesellschaftlichen Diktat: "Alles Eigentum, soweit man sieht" (S. 375). So wird der Name des Waren-'Hauses', das sich die Zürcher Jugendlichen nicht erkämpfen können, zum Symbol eines durchkapitalisierten "Globus". Der Diarist versteht ihren Glauben an die "Gegengewalt", obschon ihm "Gewalttätigkeit" "Entsetzen" einflößt (S. 73). Damit löst sich das Tagebuch-Ich von Tolstois strikterem Gewaltverzicht, und der offene Schluß der Geschichte GLÜCK will also vielleicht auch andeuten, daß solche Gewalt-Aktionen privater Leidenschaft in der Krise der spätzeitlichen Zivilisation, wo strukturelle Gewalt an der Tagesordnung ist, anachronistisch sind.

> (Manchmal scheint auch mir, daß jedes Buch, so es sich nicht befaßt mit der Verhinderung des Kriegs, mit der Schaffung einer besseren Gesellschaft und so weiter, sinnlos ist, müßig, unverantwortlich, langweilig, nicht wert, daß man es liest, unstatthaft. Es ist nicht die Zeit für Ich-Geschichten. Und doch vollzieht sich das menschliche Leben oder verfehlt sich am einzelnen Ich, nirgends sonst.) [MNG 68]

Was im GANTENBEIN-Roman ein Dilemma, und damit die Verfehlung des Buch-Ich beschrieben hatte, meint im Kontext des TAGEBUCHS, wo Politik konkret den Einzelnen betrifft, nun die "Erfahrung der eigenen politischen Existenz"[111]; denn, abgesehen von den Schwierigkeiten des Ich, ein Schweizer zu sein (s. u.), wird sogar sein Schreiben unmittelbar betroffen von den Aktionen der Öffentlichkeit.

Sprache ist gewiß bereits ein Thema der Erzählung von 'Viktor'; besiegelt der Tod seiner Begleiterin doch gleichsam real, was mit der Redensart 'das letzte Wort behalten' gemeint ist, nachdem zuvor die Frau stets widersprochen hatte; Viktor kuriert seine Unsicherheit, indem er sie 'zum Schweigen bringt'. Frischs Büchner-Rezeption ist esoterisch geworden; denn wer könnte schon bemerken, daß er hier – getreu der Maxime dieses "literarischen Hausgottes" – einer "Phrase" nachgeht, bis sie "mimisch" (d.i.: mimetisch – s.o.) "übersetzt" ist[112]. Erzählt wird die SKIZZE EINES UNGLÜCKS, häufig in erlebter Rede, rückblickend aus der Perspektive des – während der erzählten Zeit eher schweigsamen – Mannes, und diese, im letzten Absatz kunstvoll arrangierte Verkehrung identifiziert den Mord aus Rechthaberei als Ursprung seiner Rechtfertigung durch Erzählen. Sprechen und Töten rücken, wie zuvor die traditionsverhaftete Geschichtslosigkeit und der Völkermord, in eine Gleichung; *der geschichtslose Zustand wird derart begriffen als die Allgegenwart des Geredes.*

Für dessen Verbreitung sorgt die Zeitung, exemplarisch im zweiten TAGEBUCH die *Neue Zürcher Zeitung*: "Kann man sagen, daß diese Zeitung lügt?"[113] Die Antwort lautet wie erwartet: "Man kann nicht sagen, daß ihre Zeitung lügt; sie verhindert nur dreimal täglich die Aufklärung." Die Medien – Zeitung wie Fernsehen – liefern jenes Wirklichkeitssurrogat, das eine Wahrnehmung der 'Risse' verhindert. Die Ästhetik der Medien ist, wie das Tagebuch-Ich im traditionsgesättigten Interieur des Weißen Hauses bemerkt, zugleich die Ästhetik der Macht: "Was wir sehen, hat nichts mit der Realität zu tun"[114]; die welthistorischen Protagonisten agieren auf einer "Szene wie aus einem Kipphardt-Stück", und die reale Pflege der Gerechtigkeit wirkt wie eine unfertige Inszenierung: "Im Fernsehen," heißt es, nachdem das Ich eine Szene persönlich in 'Augen-Schein' genommen hat, "sieht man mehr" (S. 390); die Natur gar scheint dem, der 'Bilder' von ihr kennt, "als Plagiat" (S. 250; s.o.) Während also die "Dramaturgie der Permutation" und Veränderung "spielend" widerlegt wurde, glückt die Stimmigkeitsdramaturgie der Medien perfekt, und das "Wunder des Wortes, das Geschichte macht" (II, S. 478), wird überboten von deren "message", die Geschichte abschafft. 1947 hatte das TAGEBUCH "begeistert" im "Verhältnis zum Wort" bei Marionetten die "Dichtung" selbst gefeiert: "Es ist das Wort, das im Anfang war, das eigenmächtige, das alles Erschaffende Wort. Es ist Sprache." (Ebd.) Ein "Theater mit Puppen" – "ohne Physiognomie" – wird auch 1970 entworfen; die Gestik der Puppen soll zu einem "Text über Lautsprecher" eingestellt werden, aber zeitverschoben:

> Der Text ist nuanciert; die Puppen verharren dazu in Grundmustern des Reflexes, reduzieren die Szene auf die wenigen Wendungen, die nicht verbal, sondern faktisch sind. (S. 301 f.)

Die leichte Verrückung, Störung der Synchronie von Phrasen und Faktizität macht zugleich eine beängstigende Fremdsteuerung auffällig[115]:

> [...] hinter den blendenden Geistesgeschäften trifft langsam, langsam ein stures Gedächtnis die Wahl . . .
>
> Die dröhnende Lautsprecherstimme von der *Erinnerungs*tribüne antwortet dem undeutlichen, erregten Zwischenrufer aus der *Gegenwarts*menge mit großer Gelassenheit: "Ruhig, mein kleiner Schreihals, ruhig! Bedenke, am Ende wirst du nichts gesagt haben, gar nichts. Denn ich allein werde dir immer Mund und Stimme gewesen sein."

Nicht das Wort, der Geist, "macht Geschichte", sondern Puppen werden "eingestellt". *Angesichts der Grundmuster öffentlichen Unbewußtseins, die sie 'umspielt', wird die Rede* – ähnlich wie im Roman MEIN NAME SEI GANTENBEIN (s.o. S. 72) – *zur Phrase.*

Das Tagebuch-Ich bewertet als ein "Privat-Schriftsteller"[116] seine Rede ebenso skeptisch und unsicher: “Es stimmt nie, was ich denke.” Dennoch endet das TAGEBUCH mit einem hoffnungsvollen Bild der Kunst; wir meinen den Abschnitt über die “Säule”[117]. Zwar: “die *Form*, die [der Künstler] im *Gedächtnis* hatte, bleibt schwächer als der körnige Stein” – wie im TAGEBUCH der aktuelle Stoff wohl die bewußte Formulierung oft verdeckt. Sacht verschiebt sich aber der Sinn des Leitwortes ‘Gedächtnis’, verbürgt es für den Diaristen doch die Erinnerung an das, was nicht vergessen werden darf; ‘Gedächtnis’ wird zum Medium echter ‘Geschichte’, als einer Vergangenheit, die zu integrieren, aus der zu lernen ist ohne Fixierung. Solche Dauer zeichnet die Säule aus: “Wenn man die *Zeitungen* vom Tage gelesen hat und zur Seite legt, eine Weile müßig in dem Bewußtsein unserer Ohnmacht, steht sie unerschüttert, nicht stolz, aber brav.”[118] Diese ‘Statik’ darf mit Stagnation nicht verwechselt werden. Die “grobe und rührende Säule”, derer “sich der Brockhaus nicht annimmt”, erinnert an einen anderen Denkstein, dessen – von Max Frisch verfaßte Inschrift – ins TAGEBUCH aufgenommen wurde:

HIER RUHT	1967 NIEMAND	
kein großer	zeitGENOSSE	
ZÜRCHER	patriot	
denker und	REFORMATOR	
STAATSMANN	DER SCHWEIZ	
oder REBELL	im XX. jahrhundert	
weitsichtiger	BEGRÜNDER	
PLANER	der ZUKUNFT	
der freiheit	die trotzdem kommt	
usw.		1967

kein berühmter flüchtling wohnte
hier oder starb ungefähr hier zum
ruhm unserer vaterstadt. kein ketzer wurde hier verbrannt. hier

kam es zu keinem Sieg. keine sage,
die uns ehrt, erfordert hier ein
denkmal aus stein. hier gedenke
unserer taten heute
dies denkmal ist frei

hier ruht kein kalter krieger
dieser stein, der stumm ist,
wurde errichtet zur zeit des
krieges in VIETNAM

1967

Wir werden daran gemahnt, daß zu den Siegern immer die Opfer gehören. Die SKIZZE EINES UNGLÜCKS wird zwar aus "Viktors" Sicht erzählt – wie die Geschichtsschreibung immer unsere Unglücksgeschichte unter die Perspektive der Sieger stellt –, doch markiert der Autor wenigstens typographisch die unterdrückte Stimme des Opfers[119]. Auf dessen Seite muß ein Tagebuch stehen, das sich zu Tolstoi bekennt, und deshalb wird es auch mit den "Erinnerungen" an Bertolt Brecht eröffnet, der sich ja den *Fragen eines lesenden Arbeiters* einst angeschlossen hatte:

Wohin gingen an dem Abend, wo die Chinesische Mauer
fertig war
Die Maurer? Das große Rom
Ist voll von Triumphbögen. Wer errichtete sie? [...]

– und eine Art "Geschichtsschreibung von unten" anhand der *Geschäfte des Herrn Julius Cäsar* praktiziert hatte; wenngleich Frisch um seine Differenzen zu Brecht weiß, so folgt ihm das TAGEBUCH doch in der Analyse der wahren Triebkräfte weltgeschichtlicher Inszenierungen: Es sind ökonomische. Der Besuch im Weißen Haus korrespondiert einem Besuch an der 'Wall'Street – ein Name und eine Situation des falschen Überblicks, wie von Frisch erfunden[120]; "Wirtschaftsführer" und politische Führer teilen eine Physiogno-

mie und sind jeweils bestrebt, die Geschäfte ihrer "Firma" in gutem Gang zu halten.
Max Frischs TAGEBUCH *will, über Brecht hinaus, ohne dessen Analyse preiszugeben, die möglichen Reaktionen des Schriftstellers auf seine allseits demonstrierte Ohnmacht erkunden – auf dem Niveau aller erreichbaren Information*. Dazu gehört auch der Dialog mit dem früheren Ich des Diaristen, die Überprüfung seiner Hoffnungen und die Desillusion in der werkbiographischen Korrektur. Sie ist das Prinzip des Lernens in Max Frischs Gesamtwerk.

VII. Die autobiographische Korrektur von Geschichtsbewußtsein im "Dienstbüchlein"

> Ich bereue nicht, daß ich beim Militär gewesen bin, aber ich würde es bereuen, wenn ich beim Militär nicht in der Mannschaft gewesen wäre; Leute meiner Schulbildung (Gymnasium, Universität, Eidgenössische Technische Hochschule) werden sonst kaum genötigt, unsere Gesellschaft einmal nicht von oben nach unten zu sehen (S. 605).

Das DIENSTBÜCHLEIN spielt die beiden Perspektiven – "von oben" und "von unten" – gegeneinander aus; aus intimer Kenntnis der oberen zur Parteilichkeit entschlossen, nimmt es *die Perspektive "von unten"* ein; eben die "Schulbildung" erlaubt diese Stellvertreterrolle.

> Ich besitze noch das sogenannte Dienstbüchlein (der Diminutiv ist offiziell) mit Sanitärischen Eintragungen (Sehschärfe, Hörschärfe) und Verzeichnis der Mannschaftsausrüstung ("Stahlhelm leihweise: 1 Stück 1931, 1 Stück 1952"), mit Stempeln von Kommando-Stellen und Handschriften zur Beglaubigung geleisteter Dienste (insgesamt 650 Tage) in graues Leinen gebunden, nicht allzu verschlissen (S. 537).

Nur scheinbar wird hier die topische Situation der "Suche nach der verlorenen Zeit"[121] angeboten; das nüchterne Ding ist kein Symbol, kein Kristallisationspunkt, wo Partikel des Vergangenen zu einer gegenwärtig er-innerten Wirklichkeit verschmelzen. Frisch geht es um eine Gedächtnisleistung; die Vergangenheit soll für die Gegenwart anschaulich, nicht als Gegenwart lebendig werden. In der, über das Buch verteilten Folge von drei Zitaten, zeichnet sich, klarer werdend, dieser Reflexionsprozeß, der das Eingedenken begleitet, ab[122]:

> Indem ich mich heute erinnere, wie es damals so war, sehe ich es natürlich nach meiner Denkart heute. Ich wundere mich, wieviel man hat erfahren können, ohne es zu sehen (S. 556).

> Zum Teil erinnere ich mich nicht, davon gewußt zu haben, obschon man es hätte wissen können; zum Teil hat man es nicht wissen können, was in unserem Land getätigt worden ist in diesen Jahren (S. 589).

> Ich wagte nicht zu denken, was denkbar ist. Gehorsam aus Stumpfsinn, aber auch Gehorsam aus Glauben an eine Eidgenossenschaft. Ich wollte ja als Kanonier, wenn's losgeht, nicht draufgehen ohne Glauben. Ich wollte nicht *wissen*, sondern *glauben*. So war das, glaube ich (S. 616).

Wie das zweite TAGEBUCH die Themen und Motive der ersten aufgreift und neu bewertet, so bildet sich ein Verhältnis autobiographischer Korrektur im Bezug des DIENSTBÜCHLEINS auf Max Frischs BLÄTTER AUS DEM BROTSACK von 1940 ab; so wurde das Erlebnis mit einem Hauptmann, der dem Akademiker-Soldaten für den "Ernstfall" einen "ganz besonderen Posten"[123] androht, im Werk Frischs ein traumatisch wiederkehrendes Motiv, das aber in jenem "treuherzigen Tagebuch" (S. 545) verdrängt und nur "beiläufig erwähnt" worden war; jetzt, 1973, legt das 'Gedächtnis' Zeugnis davon ab (vgl. S. 614). Freilich verlangt, wie stets im Spätwerk, die Korrektur nach Kontinuität; sie radikalisiert, aber sie verwirft das Frühere nicht. Und so deckt sich die Auffassung soldatischer Disziplin 1973, indem sie die "Überzeugung", das "Gewissen" und die "Mündigkeit" des Soldaten betont, mit jener von 1940, die seinerzeit bereits Anstoß erregt und den Diaristen momentan zum Außenseiter gestempelt hatte[124]. Die Kontinuität der Außenseiterposition, abseits der hierarchischen Gesellschaftsgliederung in oben und unten, verbindet die BLÄTTER AUS DEM BROTSACK mit dem DIENSTBÜCHLEIN. Allerdings war dort – in der ersten Erfahrung vom Einbruch des 'Schreckens' – existenziell begriffen worden, was jetzt politisch gemeint ist: Die Verantwortung des einzelnen und vereinzelten Schriftstellers für das Gedächtnis der "Öffentlichkeit" – "ich versuche mich zu erinnern . . ."

VIII. Geschichte umschreiben: Wilhelm Tell für die Schule

Kontrastriert wird diese aktive Erinnerung im TAGEBUCH 1966–1971 mit dem mumifizierten Stand der öffentlichen Angelegenheiten; Frisch teilt dort (S. 256) Auszüge aus einem Leitfaden für Zivilverteilung mit:

> VATERLANDSLIEDER
> (S. 314)
> "Rufst du, mein Vaterland
> sieh uns mit Herz und Hand
> all dir geweiht.
> Heil dir, Helvetia!
> Hast noch der Söhne ja
> wie sie St. Jakob sah,
> freudvoll zum Streit.
> Da, wo der Alpenkreis
> dich nicht zu schützen weiß –
> Wall dir von Gott –
> stehn wir, dem Felsen gleich,
> nie vor Gefahren bleich,
> froh noch im Todesstreich,
> Schmerz uns ein Spott."
> (Aus: ZIVILVERTEIDIGUNG, herausgegeben vom Eidgenössischen Justiz- und Polizeidepartement im Auftrag des Bundesrates, Geleitwort von Bundesrat L. von Moos. Das handliche Buch in einem haltbaren Leineneinband wird kostenlos an sämtliche Haushaltungen verschickt in allen Landessprachen.)

Die veraltete Rhetorik in diesem Produkt paßt zu der, seit dem Reduit-Konzept von 1940 unveränderten Strategie[125]; der, zu Anfang des TAGEBUCHS notierte "Vorsatz, über die Schweiz mindestens öffentlich keine Äußerungen mehr zu machen", muß – kaum gefaßt – schon gebrochen werden, wenn sich ein Kontrastmodell zu Veränderung und Unsicherheit derart aufdringlich präsentiert. Wiederum wird das zweite TAGEBUCH das erste revidieren, wo es hieß:

> Immer wieder auffallend ist die Art, wie sie mit ihren einheimischen Künstlern umgehen, wie sie ihnen auf die Schulter klopfen bestenfalls mit dem Ton einer warnenden Anerkennung, eine Aufmunterung, eine wirkliche, eine Erwartung, die nicht unter Bedenken röchelt, kommt meistens von einem Ausländer. [...]Dabei wäre die nüchterne Zurückhaltung unsrer Landsleute, wenn sie stimmt, geradezu wunderbar; was sie fragwürdig macht, ist der bedenkenlose Kniefall vor allem Fremden. [...]Unsere Landsleute, wenn wir auf sie angewiesen sind, machen uns nur kleinmütig, und die unvermeidliche Kehrseite davon ist das Anmaßende, also wiederum eine Verkrampfung. Andererseits hat es auch wieder seinen Segen, wenn man einem Volk angehört, das seine Künstler niemals durch Verwöhnung verdirbt, und zwar ohne jede Ironie: der deutsche und vielleicht abendländische Irrtum, daß wir Kultur haben, wenn wir Sinfonien haben, ist hierzulande kaum möglich; der Künstler nicht als Statthalter der Kultur; er ist nur ein Glied unter anderen; Kultur als eine Sache des ganzen Volkes [...].

Die Schweiz ist seither eine schwierige Heimat für den Schriftsteller Max Frisch gewesen; seinem Werk ist diese Schwierigkeit gewiß eingeschrieben[126]:

> Außer Zweifel steht ferner, daß Heimat uns prägt – was sich beim Schriftsteller vielleicht besonders deutlich zeigt, nämlich lesbar. Versammle ich die Figuren meiner Erfindung: BIN auf seiner Reise nach Peking, STILLER, der in Zürich sich selbst entkommen möchte, HOMO FABER, der sich selbst versäumt, weil er nirgendwohin gehört, der heimelige HERR BIEDERMANN usw., so erübrigt sich das Vorzeigen meines Schweizer Passes. ANDORRA ist nicht die Schweiz, nur das Modell einer Angst, es könnte die Schweiz sein; Angst eines Schweizers offenbar. GANTENBEIN spielt den Blinden; um sich mit der Umwelt zu vertragen. GRAF ÖDERLAND, Figur einer supponierten Legende und

seinem Namen nach eher skandinavisch, greift zur Axt, weil er die entleerte und erstarrte Gesellschaft, die er als Staatsanwalt vertritt, am eigenen Leib nicht mehr erträgt, und obschon eine Revolte dieser Art nicht hier, sondern 1968 in Paris stattgefunden hat, schreibt die französische Presse: "un rêve helvétique" ... so geprägt ist man.

Wie seine hartnäckige Verteidigung gegen Karl Schmids (1961 veröffentlichte) These vom "Unbehagen im Kleinstaat" als Ursache literarischer Schweizkritik uns belegt, steigert die Schweizerische Nuance in solchen Versuchen, sein Werk einzuordnen, noch Frischs Animosität[127]. Ärgerlicher als die, so gar nicht formulierte Unterstellung, "Unbehagen an der heutigen Schweiz könn[t]en nur Psychopathen haben", mag Karl Schmids Konstruktion einer – komplementär zur staatstragenden Tradition Schweizer Literatur – psychologischen Konstante des Aufbegehrens gewesen sein. Der Stadt-Schreiber Gottfried Keller, den Frisch gegen den Verdacht, als "Sänger der Schweiz GmbH" zu taugen, heftig verteidigen wird, soll danach mit verlorenen Söhnen des Vaterlandes wie Max Frisch nichts gemein haben. Gegen jede literarische Begründung des Mythos "Schweiz" verwahrt sich Max Frisch jedoch im Namen der modernen Schweizer Literatur[128]:

> Wilhelm Tell und die Schweizer, eine Untersuchung etwa in diesem Sinn: Friedrich Schiller als Begründer eines schweizerischen Selbstmißverständnisses, das mir selber viel zu schaffen gemacht hat. Selbstverständlich meinte Schiller nicht die wirklichen Schweizer; aber wie distanziert sich ein Volk von dem bestechenden Geschenk eines importierten Nationaldramas? Ich selber (vielleicht dank einem Wildermuth-Großvater aus Württemberg?), brauchte lange Zeit, um zu begreifen, daß wir, die wirklichen Eidgenossen, nie im Geist des deutschen Idealismus gehandelt haben oder handeln werden. Die Meinung, die Eidgenossenschaft sei hervorgegangen aus einer Idee, hat mich zu Forderungen verleitet, unser Land müßte Ideen zu verwirkli-

chen versuchen auch heute, zu Hoffnungen also, und dann, da sie sich als wirklichkeitsfremd erwiesen, zu Unmut und zu Verurteilungen, die gegenstandslos sind; die Eidgenossenschaft, die so manche ideologische Reformation überstanden hat, ist eben ihrem Ursprung nach nicht ideologisch, sondern ein Fall, der nachträglich ideologisiert worden ist, ein geschichtliches *Happening*, Resultat einer Rebellion, aber nicht einer Revolution; der pfiffige Vorschlag von Brecht, ich solle ein Tell- und Rütli-Stück schreiben, das den Bauernaufstand der Vierwaldstätte als reaktionär zeigt gegenüber der Habsburg-Utopie, ist, wenn auch auf aktuell-demagogische Legitimation heutiger Vögte hin gedacht, der geschichtlichen Wirklichkeit näher als das Idol, das wir Friedrich Schiller mit dem Rütli-Denkmal gedankt haben: wir sind eine Partisanen-Verbündung von Pragmatikern, die Ansehnliches zustande gebracht haben, und unter Pragmatikern gibt es kein Engagement an einer Utopie.

Und neun Jahre nach der Stuttgarter Schillerpreis-Rede, die ja eine Dramaturgie der Permutation entworfen hatte, kommt Max Frisch noch einmal, diesmal anläßlich der Verleihung des Großen Schillerpreises der Schweizer Schillerstiftung, auf das Tell-Projekt zurück[129]:

> Es ließe sich darlegen, warum dieser Armbrust-Vater mit Sohn (bei Hodler ohne Sohn, nie aber ohne Armbrust) von Zeit zu Zeit demontiert werden muß: nicht weil er nie existiert hat – das kann man ihm nicht verargen –, sondern weil er, lebendig als Gestalt der Sage, die eine skandinavische ist, und so wie Friedrich Schiller ihn mit deutschem Idealismus ausgestattet hat, einem schweizerischen Selbstverständnis heute eher im Weg steht.

Inzwischen aber liegt seine Revision des Schweizerischen Nationalmythos bereits in erzählender Prosa vor: WILHELM TELL FÜR DIE SCHULE.
Eindrucksvoll hatte Frisch damit seine These einer Ähnlichkeit von Leben und Schreiben untermauert, da offensichtlich "mit einer fixen Summe gleicher Vorkommnisse, bloß indem man ihnen eine andere Erfindung seines Ichs zugrunde legt,

sieben verschiedene Lebensgeschichten nicht nur" erzählt, sondern gelebt werden können[130]. So erscheint "die Welt, je realistischer man sie betrachtet [...]als die Folge einer Legende".

Deren Permutation hatte schon Ludwig Hohl, der von Frisch geförderte und bewunderte Kultautor der Schweizer Boheme, verlangt: "Aber der wahre Geßler ist heute Wilhelm Tell." Und schon Robert Walser hatte die beiden als korrelative Figuren gedeutet. Wo aber in der Geschichtserzählung die "Wahrheit" zu suchen sei, darüber konnte sich Frisch, dem sich sonst eher die Pilatus-Frage: "Was ist Wahrheit?" aufdrängt, erschöpfend in der literarischen Tradition belehren lassen[131]:

> Die Wahrheit, welche von einem Werke, wie dasjenige, so wir den Liebhabern hiermit vorlegen, gefordert werden kann und soll, bestehet darin, daß alles mit dem Lauf der Welt übereinstimme, daß die Character nicht willkürlich [...]gebildet, sondern aus dem unerschöpflichen Vorrat der Natur selbst hergenommen; [...]daneben auch der eigene Character des Landes, des Orts, der Zeit, in welche die Geschichte gesetzt wird, niemals aus den Augen gesetzt; und also alles so gedichtet sei, daß kein hinlänglicher Grund angegeben werden könne, warum es nicht eben so, wie es erzählt wird, hätte geschehen können, oder noch einmal wirklich geschehen werde. Diese Wahrheit allein kann Werke von dieser Art nützlich machen.

Weil er so verfährt, kann der Autor

> ganz zuverlässig versichern, daß [...]die [...]Personen, welche in seine Geschichte eingeflochten sind, wirkliche Personen sind, dergleichen es von je her viele gegeben hat, und in dieser Stunde noch gibt, und daß [...]alles, was das Wesentliche dieser Geschichte ausmacht, eben so historisch, und vielleicht noch um manchen Grad gewisser sei, als irgend ein Stück der glaubwürdigsten politischen Geschichtsschreiber, welche wir aufzuweisen haben.

Die "Wahrheit" liegt bei Frisch, der eine Tradition bürgerlicher Geschichtsschreibung parodieren will, in banalen Details zum "eigenen Character des Landes, des Orts, der Zeit"; "Es sind Imponderabilien, private Befindlichkeiten, Zufälle und Nebensachen aller Art, Mißverständnisse, Vorurteile, Täuschungen und kindische Anlässe, die bei ihm Geschichte produzieren. [...]Mit einem Wort: Frisch hat die öffentliche und nationale Geschichte lückenlos reprivatisiert und entnationalisiert. Er hat mit Fleiß eine Ich-Geschichte geschrieben, ein ganz privates Individuum figuriert als 'Mittelpunkts-Personnage'."[132]

Der sympathische, melancholische, "dickliche Ritter" Konrad gerät, auf einer lästigen Inspektionsreise in die finsterste Provinz des Habsburgerreiches mit diesen "Waldleuten" in Konflikte, haben sie doch seiner weltläufigen Bonhommie stets nur ihren Argwohn und ihren Starrsinn entgegenzusetzen. So kommen die berühmten, dramatischen Konfrontationen, Höhe- und Wendepunkte der Schweizer Befreiungsgeschichte zwar zustande, aber ohne Heroismus: Meist handelt es sich um Mißverständnisse, die – trotz der freundlichen Bemühungen des habsburgischen Beamten – eskalieren und schließlich gar in seiner Ermordung durch den cholerischen Tölpel Tell gipfeln, da der sich in seiner dumpfen Wut über den "fremden Fötzel" nicht anders zu helfen weiß.

Schon im Mittelalter hatten es, laut Frisch, Außenseiter in "Andorra" schwer. Geßler und Tell also tauschten die Plätze, wie oft genug die Gegenspieler in Frischs Werk, deren Rollen-Masken uns erst in diesem Wechsel auffallen. "Der gefeierte Held wird zu einem leicht unzurechnungsfähigen 'Meuchelmörder', der verabscheute Tyrann zu einer sympathischen Mittelpunktsfigur, die sich inmitten einer Horde von beschränkten Hinterwäldlern Menschlichkeit und Vernunft bewahrt."[133]Frisch hat also erneut die Position des Opfers eingenommen – und, wie es einem Schriftsteller, der sich als "Inland-Emigranten" versteht, gebührt: die des Ausländers – eine merkwürdige Aktualität in der Gastarbeiter und "Über-

fremdungs"-Debatte auch dies. So wird jedenfalls, wie es jene poetologische Formel des GANTENBEIN-Romans empfiehlt, die Richtung der Perspektive "umgedreht".
Gleich die Reise des Landvogts in die Innerschweiz führt in diese "verkehrte Richtung"[134], und wenn der Ritter in der Enge dieser Täler "zum Himmel schaute, kam es ihm vor, als wäre er in eine Zisterne gefallen". Er ist, wie Don Juan (in Frischs Komödie) nach einem ähnlichen 'Sturz', in einer mythenträchtigen Schweinwelt gelandet; in die "Hölle der Literatur" werden ihn – wie jenen die "Gesellschaft" von Sevilla – die Schweizer verbannen[135]. Diese Urschweizer mit ihrer "Verteidigungs-Mentalität" verstehen keinen Spaß; Rolle und Person müssen sich decken. Ihr Feindbild schreibt die Rollen vor. In der Apfelschußszene machen sie alle Versuche Tillendorfs, seine Rolle souverän ausspielend zu überschreiten, durch ihren Starrsinn zunichte.

Sie bestehen auf ihrem Heldendrama: "Ein peinlicher Augenblick [...]für den dicklichen Ritter, der plötzlich die Regie verloren hatte" (S. 454); "ohne *Publikum* wäre es einfach gewesen: Gnade vor Recht." Stattdessen werden lauter unpassende Stichworte souffliert – zuletzt von "Knaben des Tell", den ja Jeremias Gotthelf später zum Musterbild des 'Schweizerbub' mythisieren wird; sein Vater, so bemerkt dies naseweise Kind, "treffe den Apfel auf dreißig Schritt":

> Auch das war eigentlich nicht gefragt – irgendwie hielt es Konrad von Tillendorf für einen rettenden Witz: dann solle der Armbrust-Vater doch seinem vorlauten Bub, der ihm, nämlich dem dicklichen Ritter, auf die Nerven ging, einmal den Apfel vom Kopf schießen! Das sagte er, indem er schon die Zügel straffte, um vom Platz zu reiten – er begriff gar nicht, warum das Fräulein von Bruneck [...]zu flehen anfing: Herr Konrad! Sie nahm es ernst. Sie redete von Gott. Hinzu trat jetzt Pfarrer Rösselmann, um es ebenfalls ernst zu nehmen. Schon lange hatte man auf irgendeine Ungeheuerlichkeit gewartet, nun hatte man sie: Vater muß Kind einen Apfel vom Kopf schießen!

Die tragische Konstellation scheint gegeben. Doch der nationale Mythos wird sich, weil ja der "dickliche Ritter" noch rechtzeitig den gefährlichen Pfeil kassiert, bloß auf eine verunglückte Theaterinszenierung berufen können – ein ernstgenommenes "Happening". Dieser Ernst ist freilich "andorranisch" und mörderisch.

Zwar stehen "Worte" am Anfang der "Geschichte", doch setzen sie Irrtümer in Gang: Frisch entzieht der überlieferten Geschichte ihren "Grund und Boden . . ."[136]. Wenn er im Gespräch verdeutlicht hat, daß ihn – neben der Antiposition zu Schillers "Agitprop-Stück des deutschen Idealismus" – am Tell-Stoff die "Berufung der El-Fatah-Attentäter in Zürich auf die Tat des Wilhelm Tell" faszinierte, so wird nun "in der Bloßlegung seiner stereotypen Konstituenten, der Freiheitsmythos von Revolutionen, die, in einer ersten Schicht, ihre Erklärung finden im Zusammenstoß unverbrauchter, zu Zorn (Choleriker!), Kollektivismus und Grausamkeit neigender Menschen und Völker mit dekadent-zivilisierten, von Resignation (Melancholiker!), Individualismus und Liberalität geprägten Menschen und Nationen", demontiert.
Damit ist die Schweizer "Geschichte" vielleicht umgeschrieben und der "dickliche Ritter" von all den Namen befreit, auf die ihn die Ideologiegeschichte des Schweizertums getauft hatte[137], eine neue Abteilung der "literarischen Hölle" indessen für die Urschweizer reserviert. Indem er den Rat seines germanistischen Lehrers Walter Muschg wörtlich nahm:

> Wir lesen den *Tell* nur richtig, wenn wir uns in die Konstellation seiner Entstehung zurückversetzen und ihn so lesen, wie wenn die schweizerische Freiheit aus der Welt verschwunden wäre –

hätte Frisch nun die "richtige" und aufgeklärte Leseart geliefert und das Wahrheitsversprechen, das historische Dichtung in der Tradition der Aufklärung dem Leser (wie oben in Wielands *Agathon*-Vorrede) gibt, eingelöst. Dagegen mußte sich der Verfasser des GANTENBEIN verwahren[138]:

Der Einfall war einfach der, mich in den Mann zu versetzen, der in diese Urschweiz hineinfahren muß, und da hat sich sofort, noch ohne Absicht, die Aufhebung des Feindbildes ergeben, die eigentlich schon mit den ersten Wörtern gegeben ist durch das Wort "dicklich". Dicklich ist ein Mensch, der sicher nicht großartig ist, ein Mensch, der sich in sich selber nicht ganz wohl fühlt, kein dicker oder schlanker, sondern ein dicklicher; er fühlt sich nicht komfortabel, er ist das Gegenteil einer Heldenfigur, eines heldischen Bösewichts.
Er ist schon eine gefährliche, böse Macht [...]. Daß Habsburg einfach eine böse Macht sei, ist natürlich eine Selbstbehauptungsdarstellung von der innerschweizerischen Geschichte her, vollkommen undialektisch! Es ist dem lieben Gott passiert, daß er alle Guten in dieses Tal gesetzt hat und alle Schlechten außerhalb dieses Tals. Das ist an sich so grundkomisch, daß es einen verlockt, alles einmal *umzukehren* und aufzulösen. Ich schaffe nicht einen neuen Mythos. Dieser dickliche Mann hat nicht die Brisanz eines Mythos; er erlebt eine Individualgeschichte, wobei mich immer auch noch das Verhältnis zwischen geschichtlicher Funktion und individuellem Leben interessiert. Abgesehen davon hat mich an der Arbeit etwas ganz anderes interessiert, nämlich – intern literarisch – die Beschäftigung mit der Fiktionalität des Imperfekts und dem Lustigen, was dabei passieren könnte. Wir wissen von der Geschichte durch die Forschung so gut wie nichts; das wird durch die Fußnoten, das ist im Text selber belegt, indem man sich nie auf einen Namen einigen kann – es kann der oder jener gewesen sein. Der Erzähler aber – in diesem Fall ich – behauptet steif und fest im Imperfekt, daß der eine Käser ist, daß er Milch bringt, daß er schwitzt, daß jener dies und das macht; und das Merkwürdige ist, daß das Imperfekt etwas unheimlich Suggestives hat: Man glaubt, daß Rudenz dem Vogt Eier anbietet usw. Die Rückwirkung ist die, daß die Geschichtsschreibung ihrerseits als fiktional dargestellt wird. Alles, womit die Historiker mit sehr viel mehr Wissen, als ich es habe, arbeiten, ist zum Teil sehr schwach belegte Fiktionalität; sie dichten, ohne zuzugeben, daß sie dichten. Dem setze ich eine realistische Dichtung von einem an sich real möglichen unbedeutenden Vorgang gegenüber, der sich behauptet, aber nicht

> in dem Sinn, wie ich nun oft gefragt werde: "War es denn so?", sondern in dem Sinne: "So kann es *auch* gewesen sein."
> [...]Wenn die Historiker behaupten können: Das ist so, dann kann ich im Imperfekt auch behaupten: So und so war es. Wer hat recht? Wohl niemand...

So entspricht die wechselseitige Relativierung von Text und Anmerkung dem *Prinzip der Korrektur*, das in Frischs Spätwerk insgesamt herrscht, mal hoffnungsvoll, dann eher resigniert getönt; einfach umgeschrieben wird die Geschichte jedoch nie. Sie wird umschrieben – "und das heißt ganz wörtlich: man schreibt darum herum. [...]Man gibt Aussagen, die nie unser eigentliches Erlebnis enthalten, das unsagbar bleibt [...], und das Eigentliche, das Unsagbare, erscheint bestenfalls als Spannung zwischen diesen Aussagen."[139]

Auf Brechts Vorschlag, ein "Tell"-*Stück* zu schreiben, konnte der Erzähler und Diarist in der Tat nicht eingehen, obschon gerade die "gefährliche Banalität ideologischen Drucks" der der "dickliche Ritter" zum Opfer fällt, Frisch zum erstenmal an einem Brecht-Stück aufgegangen war: *Furcht und Elend des Dritten Reiches*[140]. Sorgfältig hat Frisch im TAGEBUCH 1966–1971 seine Antwort an Brecht vorbereitet und es ist mehr als ein äußerlich-stofflicher Verlust, daß gerade die, ursprünglich für dieses TAGEBUCH geplante Tell-Version aus Umfangsgründen ausgeschieden wurde.

"Erinnerungen an Brecht" erscheinen schon da, wo das diaristische Verfahren vorgestellt und – im Sinne des, in einer Notiz 1948 schon konzipierten GANTENBEIN-Romans – eingeübt wird[141], und sie bauen behutsam zwei 'Bilder' in wechselseitiger Korrektur auf: Einerseits der Schriftsteller als öffentliche Person und Instanz – "Allein mit Brecht [...]blieb es etwas offiziell"; andererseits: "Plötzlich, bei einem nächsten Zusammentreffen, hatte er wieder das Häftlingsgesicht", ein "Opfer" und "Emigrant". Dieser Brecht hatte den offiziellen Mythos korrigieren können:

> Das National-Drama der Schweiz (im Zweiten Weltkrieg) ist nicht der WILHELM TELL, dann eher DER GUTE MENSCH VON SEZUAN. Nur mag man nicht, daß dann der Böse Vetter, der die guten Taten erst ermöglicht, auch Schweizer wäre. So bleibt es dann beim WILHELM TELL.

Doch dürfte man sich bei der Annahme von Schillers 'nationalem Mythos' vielleicht wieder auf den anderen Brecht berufen:

> In der großen Bibliothek von Konrad Farner hängt die Totenmaske von Brecht. Die zu schiefe Nase; man kann ihn nur unter einem einzigen Gesichtswinkel wieder erkennen. Vom Profil her könnte man, einen Augenblick lang, auf *Friedrich Schiller* raten.

In der "Spannung" zwischen kreativer Lebendigkeit und Erstarrung in offiziellen Rollen beschreibt Frisch die Wirklichkeit Brechts; ihm zu folgen, hätte – wie bei all seinen Erben, die ihn als Vorbild für Brechtianer akzeptierten – nur bedeutet, sich einseitig auf die Instanz festzulegen: "Brecht, wenn man sich einließ, baute jeden um." Das Gegenbild aber zu diesem, nach der Maske Schillers stilisierten Brecht, ist im zweiten TAGEBUCH insgeheim präsent und wurde im ersten offen apostrophiert: "Wirklich, würde ich sagen, ist Goethe" (Tb I 543). Frischs WILHELM TELL nun führt die Skizze aus, die einst Goethe dem Freunde Schiller für dessen *Tell* vergebens anbot[142]:

> Den Geßler dachte ich mir dagegen zwar als einen Tyrannen, aber als einen von der behaglichen Sorte, der gelegentlich Gutes thut, wenn es ihm Spaß macht, und gelegentlich Schlechtes thut, wenn es ihm Spaß macht, und dem übrigens das Volk und dessen Wohl und Wehe so völlig gleichgültige Dinge sind, als ob sie gar nicht existierten.

In der Nachfolge Goethes (und des realistischen Romanciers Gottfried Keller) führt Frisch also seine Kritik des Theatralischen und der Dramtiker fort, und uns erhellt sich nun, warum die Kritik an der Brechtschen Parabel in den eingangs zitierten Schiller-Reden jeweils auch die Neufassung des Tell-Stoffes hervorruft. Fasziniert vom Ineinander sinnlicher Präsenz und anonymen Rollenzwangs auf der Bühne wird Frisch von ihrer Konvergenz beunruhigt: Daß zuletzt – und jedenfalls im Bewußtsein des Publikums – die Rolle siegt und der Schauspieler als Mittel zum Zweck, wie der Text ihn vorschreibt, gebraucht wurde; das Puppenspiel verrät Frisch die Wahrheit über das Welttheater (s. o.). Ein "Happening" – Ereignis, anstatt Ursprungs-Legende – muß in spielerisch-beziehungsreicher Prosa veranstaltet werden. Denn sie kann das Publikum lehren mitzuspielen; Frischs Didaktik des Prosaexperiments will im Spiel mit Möglichkeiten die Wirklichkeit veränderbar machen.

IX. Die Wirklichkeit als Bewußtseinszitat in "Montauk"

Wenn die Rollenfiktion zum Abschluß des Romans MEIN NAME SEI GANTENBEIN in erfüllte Wirklichkeit umschlägt, tritt ein von allen Geschichten befreites Ich auf, ein Ich ohne Biographie. Dieses blanke Ich ist in der fiktiven Welt des Romans heimatlos, denn diese erzeugte sich als entfremdeter Ausdruck einer Ich-Struktur, nicht als deren Abbild; das Delegationsschema zwischen Autor und Protagonist, wonach etwa an Stiller die fixierte Geschichte seines Autors delegiert wurde zur Prüfung, ist jetzt in den Roman hineingenommen – während in den beiden vorigen Erzählwerken der Tendenz des Romans zum Totalen die völlige Absenz des Autors entsprach, wird im abrupten Schluß des GANTENBEIN das Verhältnis der Fiktion zu ihrem Urheber thematisch. MONTAUK setzt, nach den Variationen der Variantenpoetik – die ihr öffentliche Themen erschlossen, sie selbst aber kaum verändert hatten –, die Romanbewegung des GANTENBEIN auf der Ebene einer autobiographischen Realtiät fort. *Das Delegationsschema wird im* STILLER *benutzt, im* GANTENBEIN *dargestellt, in* MONTAUK *problematisiert.* Das empirische Ich, das sich im GANTENBEIN momentan befreit hatte, muß in der autobiographischen Erzählung eingestehen, daß außer der puren Wahrheit des wirklichen Augenblicks auch eine Geschichte überliefert ist, die man ihm zuschreibt. Die WILHELM TELL-Thematik wird nun da überprüft, wo sich 'das menschliche Leben vollzieht oder verfehlt': "am einzelnen Ich" (s. o. S. 80). Dichtung oder Wahrheit. . .

Daß man einem Buch die innerste Wahrheit eines Menschen anvertrauen könne, war, als Jean Jacques Rousseau seine *Confessions* niederschrieb, ein unerhörter Gedanke, dieses

Buch am geheiligten Ort, dem Altar von Notre Dame, niederzulegen, nur folgerichtig. Die topische Versicherung der Aufrichtigkeit war schon immer von einer Autobiographie erwartet worden. Frisch stellt seiner autobiographischen Erzählung ein Motto des Michel de Montaigne, das sich bereits von der späteren Wahrhaftigkeitstradition her lesen läßt, voran: "Dies ist ein aufrichtiges Buch, Leser [...]" MONTAUK verspricht, nach Rousseau und skeptisch gegen jede Konvergenz von Dichtung und Wahrheit, die innerste Wahrheit über ein schriftstellerisches Ich. Die Schwierigkeiten lassen sich voraussehen. Im GANTENBEIN vermochte das Ich die Wiederholung einer bekannten Geschichte zu verweigern; in MONTAUK wird die Wiederholung objektiviert zur Lebensreproduktion, da die bekannten Geschichten veröffentlicht und zeitlos fixiert sind[143].

MONTAUK ist ein exoterisches, absichtlich literarisches Buch. Es verwirklicht Literatur, es handelt von Literatur, und die Literatur anderer kommt selbstverständlich darin vor. Reduziert man das Buch – etwa in einer "filmischen Lektüre"[144] – auf die autobiographischen Fakten, so daß die literarischen Anspielungen verstummen, dann bleibt eine peinliche Beichte. Doch wir wollen die Zitate nicht reduzieren auf Belege aus der Lebenswelt eines gebildeten, berühmten Autors. –

> MY LIFE AS A MAN
> heißt das neue Buch, das Philip Roth gestern ins Hotel gebracht hat. Wieso würde ich mich scheuen vor dem deutschen Titel: Mein Leben als Mann? Ich möchte wissen, was ich, schreibend unter Kunstzwang, erfahre über mein Leben als Mann.

Man wollte hier eine etwas preziöse Absichtserklärung hören: Daß "Kunst" angestrebt werde, teile der Autor eigens mit, um sich Mut zu machen zur intimen Indiskretion; das Indiskrete werde durch einen ausdrücklichen Entschluß forciert[145]. Warum dann aber "scheut" Max Frisch die deutsche Titelübersetzung? Oder besser: Warum würde er sich eines solchen Titels 'schämen'? Wohl doch, weil er sich mit ähnlichen Büchern bereits 'verraten' hat: Jürg Reinharts Lehrjahre der Männlichkeit, Stillers Leben als Mann, Walter Fabers Leben als Mann ... Der Männlichkeits-'Wahn' und die unerreichbare Selbstgewißheit, Identität und 'Wahrheit' des "Relativitätswesens" Mann stehen ja im Zentrum der analogischen Austauschoperationen in seiner Poetologie[146]. Und deshalb gibt es, wie stets in diesem raffiniert literarischen Text, eine doppelte Lesart: "mein Leben als Mann" fungiert nicht nur als Begriff, sondern auch als Name, für das Buch von Philip Roth nämlich. Wie die Fremdsprache das Erleben verfremdete, so dient in dem späteren Erlebnisbericht das fremdsprachige Buch als Verfremdungsfolie. *Schreibend unter Kunst-Zwang, also im Bannkreis literarischer Reproduktion von Beginn an, überprüft das autobiographische Ich Erfahrungen aus dem Buch eines anderen am Stoff des eigenen Lebens*[147]. MONTAUK besteht aus Variationen über Themen aus *My Life as a Man*.

AS THOUGH THAT WOULD REDEEM US BOTH

Das Stichwort fällt volksethymologisch korrekt: "DO YOU CONSIDER YOURSELF A DOOMED MAN?" Es gibt Anzeichen dafür: "Auf dem Schiff nach Europa [...] spiele ich Schach [...] gegen mich selbst; meistens verliere ich, das heißt, ich identifiziere mich mit der verlierenden Farbe, wenn es plötzlich zum Matt kommt, ohne Diskussion."[148] So hatte sich Walter Faber, der passionierte Liebhaber des Schach-Kalküls, selbst schachmatt gesetzt; so spielte Hannes Kürmann immer wieder eine verlorene Partie nach – *in jeder Szene des Erinnerungsbuches laufen motivische Reihen aus früheren Werken Frischs zusammen*. Wie die "Helden" in Frischs Dramen und Romanen steht der Max Frisch, der hier schreibt[149], unter einem Fluch und wird von Dämonen verfolgt; die Frage war berechtigt.

Doch "doomed", das etwas altertümliche Wort, gehört ins juridische Vokabular[150]. Die Situation des Gerichts ist das Modell der Wahrheitsfindung im Werk Max Frischs, das

Mittel dazu ist das 'Gespräch'. Derjenige, der seine Wahrheit einklagt, ist schon verurteilt, und es kommt selten zur 'Gnade' eines "Freispruchs"; seine eigene "Rede (Monolog) hat etwas Hinrichtendes." Die Autokommunikation verhindert die echte Kommunikation, welche das 'Paar' erretten könnte. Wie schon im STILLER entspricht den Monologen des Mannes der Mord an der Frau. Nach der letzten Nacht mit Lynn – grazil, wie die Tänzerin Julika – stellt sich die verräterische Assoziation ein: "[...] ein Mord, alles erscheint möglich", doch "Lynn wird kein Name für eine Schuld."[151] Daß die 'Erlösung' von der 'Schuld an der Frau' durch die Liebe möglich wäre, erhoffte einst das unanwendbare Bildnisverbot – THAT WOULD REDEEM US BOTH. Der Nachmittag mit Lynn bleibt frei von *einer* Art Schuld, weil er unwirklich bleibt; gelassen wie der GANTENBEIN-Erzähler verzichtet das Ich auf eine 'wirkliche Geschichte'.

Daß die 'Liebe' nur der Anlaß zu ihrer Vernichtung sei – das deutet ein weiteres Titelzitat an: DER GUTE GOTT VON MANHATTAN. In jenem Hörspiel Ingeborg Bachmanns verraten die Liebenden ihre weltlos erhobene Liebe an die Außenwelt; sie werden von zwei brandstiftenden Eichhörnchen ermordet[152]. Dazu erfährt man:

> [...] ein Gewährsmann hat mich belehrt, daß die berühmten Eichhörnchen gar keine Eichhörnchen sind, sondern Baumratten. [...] Der Unterschied zu den Eichhörnchen besteht vor allem darin, daß sie die Eichhörnchen vernichten.

Manfred Jurgensen hat in seiner Monographie zu Frischs Romanen bereits festgestellt, daß dort ein analoges Verhältnis zwischen Literatur und Leben besteht.

... AND YET SHE HAD LIVED TO TELL THE TALE

Nicht das Leben ist wichtig, sondern daß das Leben erzählt werden kann. Das gilt in *My Life as a Man* und in MONTAUK. Der Raum des Erzählens ist die Vergangenheit, der Erzähler ist zuhause im "episch raunenden Imperfekt"[153], der Zeitform des faktisch Gewordenen, Max Frischs MONTAUK ist ein "Gedächtnis"-Buch – "Gedächtnis" heißt Erinnerung und Andenken.

> PRO MEMORIA
> ein französischer Edelmann auf dem Weg zur Guillotine bittet um Feder und Papier, und es wird ihm gewährt. Man könnte die Notiz ja vernichten, wenn sie sich an irgendjemand richtet. Das ist nicht der Fall. Es ist eine Notiz ganz und gar für ihn selbst: pro memoria.

Die autobiographischen Notizen stammen von einem Erzähler, der die Frage, ob er verurteilt sei, bejaht. Schreiben im Augenblick der Hinrichtung heißt: absichtslos schreiben[154]. "Pro memoria" bedeutet: festgehaltene Erinnerung; es kann auch bedeuten: das, was nach der Hinrichtung an den Verurteilten erinnert – die doppelte Angst um das "Gedächtnis" peinigt das schreibende Ich, das einmal den Versuch eines "Requiems", ein Toten-Gedächtnis, vorgelegt hatte. Das aktive Gedächtnis sichert seine Gegenwart, das Andenken der anderen seine Vergangenheit. Indem er die Geschichten rekapituliert, die ihn mit anderen verknüpfen, gewinnt sein gegenwärtiges Selbst die Dimension des "Gewesen-Seins". Indem er die Vergangenheit wiederholt, verliert er die Gegenwart: "Deja vu."[155] "Literatur hebt den Augenblick auf" – sie zerstört ihn, als Gegenwart, und bewahrt in, als Gedächtnisinhalt. "Die Literatur hat die andere Zeit, ferner ein Thema, das alle angeht oder viele"; die Literatur hat die Zeit des Allgemeingültigen, und sie imitiert die "andere Zeit" des Lebens, die kleine Epiphanie, den transparenten Augenblick – wie die Baumratten die Eichhörnchen. Den Leitworten "kennen", "wissen", "erinnern" steht das Leitwort "Augenblick" gegenüber. Den entscheidenden Satz, der Mitteilung und Liebe stiftet, gibt das Gedächtnis niemals frei[156]. Nur sein "Körper läßt ihn empfinden, daß er im Augenblick da ist"; das "irre Bedürfnis nach Gegenwart durch eine Frau" – nach "Leben": "Er will keine Memoiren. Er will den Augenblick."

Die letzte Bedingung der Erzählbarkeit aber ist der Tod, die Zeit ohne Zukunft. Wer erzählt, vertraut sich Hermes an, dem "Seelenführer". MONTAUK ist ihm gewidmet, Lynn ist, was uns eine Anspielung auf den *Tod in Venedig* verrät, die Figuration des "freundlichen Gottes" in diesem hermetischen Buch[157]. Der Erzähler erlebt wie Enderlin. Nicht fähig zur verbindlichen Schuld des Körpers in der Gegenwart, verstrickt er sich schuldhaft in den vergangenen Geschichten, welche der blinde Geist erfindet.

MY SELF-DRAMATIZING LITERARY TURN OF MIND
Philip Roth läßt den Schriftsteller Peter Tarnopol seine unglückliche Ehe- und Liebesgeschichte erzählen: "[...] it's impossible to be married to an actor or writer happily", denn, wie er selbst einräumt: "I [...] expected to find in everyday experience that same sense of the difficult and the deadly earnest that informed the novels I admired most."[158] Einmal davon abgesehen, daß sich Tarnopols literarische Vorliebe aus dem alteuropäisch gebildeten, amerikanischen Neu-Aristotelismus speisen, während der Erzähler von MONTAUK von lebensphilosophischer Bildung des europäischen Fin de siècle zehrt – wobei Thomas Mann übrigens Heimatrecht in beiden Welten hat: Peter Tarnopol und Max Frisch neigen dazu, Sachverhalte zu metaphorisieren, sie nehmen die Dinge wahr als "standing for something": "literature to strongly influences [their] ideas about life."[159] Die Wahrnehmung wird nicht nachträglich verformt, sondern vorweg gefiltert:

> [...] der Schriftsteller scheut sich vor Gefühlen, die sich zur Veröffentlichung nicht eignen; er wartet dann auf seine Ironie; seine Wahrnehmungen unterwirft er der Frage, ob sie beschreibenswert wären, und er erlebt ungern, was er keineswegs in Worte bringen kann.

Das Leben wird zur Wiederholung seiner vorweggenommenen Beschreibung. Frischs Erläuterung dieses Verhältnisses von Erfahrung und Beschreibung folgt unmittelbar auf die Erklärung des Verhältnisses von Baumratten zu Eichhörnchen[160]. Die Literarisierung der Wahrnehmung drückt sich in literarischen Zitaten aus. Die literarische Sprache für das Erlebnis der Liebe wartet bereits. "Leben im Zitat". In ihr geht das Erlebnis verloren: "Ich kann ein wenig zeichnen, aber ich habe es lang nicht mehr getan. Es stört mich, daß es dann immer ein Plagiat wird, ein schwaches; indem ich es zeichne, verliere ich, was ich sehe."

ON THE PRINTED PAGE INSTEAD OF ON MY LIFE

Die Literatur reflektiert ein Bild der Wirklichkeit. Was wirklich ist, ist gegenwärtig; Wiederholung aber "ist dem Denken synonym"[161]. Die Schemata der Literatur steuern das Denken; Literatur ist bedachte Wirklichkeit. Das Ich spaltet sich in einen Teil, der erlebt, und einen anderen, der registriert – die poetologische Konstellation aus BIOGRAFIE wird in der Erzählung fortgeführt zum grammatischen Wechsel von Ich und Er. "Das *Er* der Kunstfigur steht für den erlebenden [...] alternden Menschen. Und das Ich der Regelfigur [...] hat die Aufgabe, die Leerstellen einer zu dünnen, in sich selbst kaum tragfähigen Gegenwart aus dem Fonds belegbarer Erfahrungen [...] auszufüllen." Die kunstvolle Erzählung entwickelt sich allmählich; allmählich verdrängt das Schreiben das Leben. "Leben ist langweilig, ich mache Erfahrungen nur noch, wenn ich schreibe."[162] Das Leben wird zum "literarischen Material". Er begegnet nicht Personen, sondern Anlässen für Literatur – und treibt damit das Dilemma der Wahrhaftigkeit, wie es schon Montaigne bewußt war, auf die Spitze.

> Er ist kein Schriftsteller mit großer Fantasie. [...] Deswegen kann er sich gewisse Emotionen gar nicht leisten, weil sonst die Gefahr besteht, daß er sie abermals beschreibt als Emotionen einer Figur. Das ist der Nutzen der Schriftstellerei (dieser Art) für den Schriftsteller als Person; er muß gewisse Tatbestände, wenn sie in seinem Leben wiederkehren, anders verarbeiten – um Schriftsteller zu bleiben... (S. 697)

Unvermerkt kommt es zu einer Stufung: *Das früher Beschriebene wird zum Material für späteres Schreiben – die Zitat-*

montage in MONTAUK *bildet das Bewußtsein des schriftstellerischen Ich ab*. So wird der Vorsatz, "wahrhaftig" zu sein, erfüllt und gebrochen zugleich; wie BIOGRAFIE ist MONTAUK ein Werk über ein Werk, das nicht zustande kommt[163]:

> Ich möchte diesen Tag beschreiben, nichts als diesen Tag, unser Wochenende und wie's dazu gekommen ist, wie es weiter verläuft. Ich möchte erzählen können, ohne etwas dabei zu erfinden. Eine einfältige Erzähler-Position.
>
> [...] autobiographisch. Ohne Personnagen zu erfinden ohne Ereignisse zu erfinden, die exemplarischer sind als seine Wirklichkeit; ohne auszuweichen in Erfindungen.
>
> DIES IST EIN AUFRICHTIGES BUCH, LESER
> und was verschweigt es und warum?

– "His *self*", so behauptet Mr. Peter Tarnopol, "is to many a novelist what his own physiognomy is to a painter of portraits: the closest subject at hand demanding scrutiny, a problem for his art to solve – given the enormous obstacles to truthfulness, *the* artistic problem. [...] The artist's success depends [...] on denarcissizing himself." – "Eine Gegend voll Bedürfnis nach Liebe." – Im Spiegel erkennt sich der Künstler als Narziß. Peter Tarnopol will ohne Koketterie die Wahrheit aufsuchen[164]:

> Mr. Tarnopol is preparing to forsake the art of fiction for a while and embark upon an autobiographical narrative [...] but there is no reason to believe that by [...] rigorously adhering to the facts, Mr. Tarnopol will have exorcised his obsession once and for all. It remains to be seen whether his candor [...] can serve any better than his art [...] to demystify the past and mitigate this admittedly uncommendable sense of defeat.

Die autobiographische Erzählung des in seinem 'Wahn' gerichteten, männlichen Narziß hat Max Frisch geschrieben.

USEFUL FICTION – MY TRUE STORY

Philip Roth baut seinen Roman in zwei Teilen auf: Vor den autobiographischen Bericht des Peter Tarnopol sind zwei

Kurzgeschichten dieses Autors gestellt. Aus dieser Konstellation ergibt sich die Problematik von Realität und ihrer Deutung. Weder enthalten die Kurzgeschichten die Wahrheit über das Leben ihres Autors, noch korrigiert der autobiographische Bericht die unwahren Erfindungen; die Realität, als perspektivisch wahrgenommene, gleitet ins Fiktionale, die Fiktion, als Wahrnehmungsmuster, gewinnt Wirklichkeitscharakter[165].

Das Nacheinander bei Roth löst Frisch in ein Ineinander auf. Die "wahre Geschichte", welche er erzählen will, spielt an jenem Nachmittag in Montauk; die früheren, "nützlichen Erfindungen", die dazu im wechselseitigen Kommentarverhältnis stehen, liegen in seinen GESAMMELTEN WERKEN vor – das Selbstzitat bringt sie in die Erzählung ein. Die autobiographische Erzählung handelt von der Auszehrung des selbstbefangenen Dichtens. "Look, I am trying to get out of a *trap*." Das Zitatspiel verwirrt sich: "[...] the trap is *you*." Das hätte ein STILLER-Leser entgegnen können – "Das Gefängnis ist nur in mir" –, und dem hoffnungslosen "Fischer", dem Stiller in seiner "ölverschmierten, stinkenden" Körperlichkeit zu gleichen glaubt, wiederum ähnelt der Autor von MONTAUK; er malt sich ein Antimärchen aus, das mit wenigen Strichen alle Linien der Hoffnung verkehrt nachzeichnet; wenn des Erlösungsmärchens schlichte, vollendete Sprachform auch den einfachen Gehalt der Erlösung versprach, so sollte man Antimärchen auch uneigentlich erzählen[166]:

> Als Märchen von einem Fischer, der sein Netz einzieht und zieht und zieht mit aller Kraft, bis es an Land ist, das Netz, und er ist selber drin, nur er. Er verhungert.

Stillers Aufruhr ist zur Einsicht gekommen. Die Autobiographie, die der Schriftsteller erkundet, ergibt sich als die Summe seiner Selbstzitate, und die Zitate verraten die Rollen, in denen das Ich sich auszudrücken vermag. "Mein Leben als Mann" ist, im doppelten Sinne, eine solche Rolle. Damit wird die 'Liebe' überlagert von Rollenbildern, wie auch die Erlösungssprache der Liebe bedrängt wird von plagiatorischen Zitaten. Denn das Zitat trägt sowohl psychologische als auch poetologische Bedeutung. Es ist die Sprache der Vergangenheit, nicht der Zukunft, der Schuld, nicht der Erlösung. Endgültig ist die Poetologie der 'falschen Vermittlung' fixiert, und in ihrem präzisen Sinn ist die autobiographische Erzählung 'verräterisch', 'eifersüchtig' und 'schamlos'[167]. So ist MONTAUK ein Todesbuch und steht im Zeichen des Hermes.

Max Frischs Werk hat sich unter dem poetologischen Aspekt der Traditionsverarbeitung in einer Spirale bewegt, ohne vom Fleck zu kommen. Vom unbewußten Plagiat im Frühwerk, zum bewußten, erst kompensatorischen, dann denunziatorischen Traditionszitat in Frischs Bewußtseinskunst; zuletzt, nach dem Intermezzo des Variantenspiels, die resignierte *Historisierung des eigenen Werkes*. Der feste Problemgrund, auf dem diese Spirale ruht, wird früh vom existenziellen Vokabular ausgemessen; Richtschnur war stets die Hoffnung auf den erlösten Menschen; die zitierende Kunst verleugnete stets die Möglichkeit der Erlösung – und in MONTAUK potenziert sich die Leugnung im Selbstzitat. "Roman einer mäßigen Zuversicht – [...] die Hauptperson, der neue Mensch, tritt nicht auf."[168] Die expressionistischen "Wandlungs"-Dramen hatten ja stets auf den "neuen Menschen" gezielt, und Frisch hat sich dies Ziel der "Wandlung" seit seinen frühen Schriften (etwa einem "novellistischen Versuch" VORBILD HUBER von 1934) zu eigen gemacht, freilich dann Stiller einsehen lassen, wie eine formierte Umwelt nie gestatte, daß einer sich "wandle" – und daß solche Wandlungsakte auch Zeichen eines "mörderischen Hochmuts der Selbsterlösung" sein können. Poetologische und "weltanschauliche" Erfahrung summieren sich parallel. Die Rechnung der Selbsterlösung ist jetzt vollständig, und sie geht nicht auf: Die Erlösung zum 'wahren' Selbst, das dem Geist gehorcht, setzt die Erlösung vom 'wirklichen', sterblichen Selbst des Körpers voraus; die Existenz in Liebe bleibt, da sie sich nur in der Sexualität verwirklicht, eine Utopie. Das Selbstzitat bezieht sich auf die Utopie als Irrtum – ersatzlos. In gelassenem Verzicht. Die Frau, das unerlöste "Naturwesen" – "nur noch Undine" –, wird nie erweckt werden; die Literatur, weil sie sich nicht mehr schöpferisch zu befreien sucht, bleibt schuldlos – ohne Wirklichkeit, ein beinahe glücklicher Wahn[169]. Hermes – ohne Christus.

Zum erstenmal aber verweist der ästhetische Rollenbegriff auf die beiden, in den Gesellschaftswissenschaften konkurrierenden zugleich; der Schriftsteller, der stets die Öffentlichkeit vorwegnimmt, um überhaupt erleben zu können, ist psychologisch und – konfrontiert mit dem wirklichen Partner – auch sozial entfremdet. Hermes, der Wegweiser, führt in das Zwischenreich der Uneigentlichkeit. Dort hält sich der Schriftsteller auf. Lynn ist nicht nur Hermes – wie Sabeth ehemals –, sondern auch professioneller Literaturvermittler[170]; sie ist, als Frau und von Berufs wegen, für den Schriftsteller die "Einsamkeit außen". Politische Gesten werden überflüssig, wenn das Soziale in das Subjekt eingedrungen ist. Die Zitationstechnik in MONTAUK ist Ausdruck der "deformation professionelle" des kreativen Autors auf dem Markt. MONTAUK zieht die Summe aus dem Schriftstellerroman STILLER, dem Roman einer beruflichen Entfremdung HOMO FABER und dem GANTENBEIN-Roman mit seiner gelassenen Anerkennung der Schuld; das endgültige Urteil trifft den Schriftsteller in seinem Verhältnis zur Öffentlichkeit.

Dieses von der Literaturkritik wie der Fachforschung stets unterschätzte Thema ist dem Spätwerk eigentümlich, wenn es auch zwischen MONTAUK und BLAUBART als Motiv zurücktritt; Frischs Esoterik ist ja immer auch die Reaktion auf eine "Öffentlichkeit als Partner", dessen Verständnis nicht mehr erhofft wird. Das "hermetische" Spiel mit der Tradition düpiert die Öffentlichkeit. "Hermes" aber wird als Agent einer literarischen Öffentlichkeit dargestellt, und somit die Lebensentfremdung, die er bewirkt, dieser angelastet. Weil die Welt-'Geschichte' in ihren Medien ungerührt vom Unrecht, 'unerlöst' und unecht fortschreitet, verstricken sich die einzelnen in ihre privaten 'Geschichten', scheitern an der echten Vermittlung mit den großen historischen Themen und schließen sich hermetisch ab, um ihrem belanglosen Leben wenigstens noch eine scheinbare Bedeutung zu sichern. So darf 'Max Frisch' sich – in einer fremden Welt und im Raum einer fremden Sprache – weiter jener Tradition der Selbstentfremdung verpflichtet wissen, die mit Montaigne anhebt und etwa von Bertolt Brecht (in einer Vorstufe seines *Galilei*) in dessen Geist angenommen wurde; ist das *'Exil'* heute weniger brutal, so wurde doch die Weltlosigkeit der Schreibenden nur immer vollkommener. Wie sollte sich das Buch-Ich im GANTENBEIN, das gerade noch einmal persönliches "Glück" im 'Unglück' hatte, denn nun sinnvoll zu der Information über Folterungen in Algier verhalten? Wir können hier nicht entscheiden, ob uns Max Frisch eine Antwort auf diese Frage schuldet; daß sie aber die Flucht in Geschichten auslöst und daß diese Flucht keineswegs gebilligt, vielmehr als problematischer Reflex begriffen wird, das wollen wir festhalten: Alle Schriftstellerfiguren bis hin zu "Max Frisch" in MONTAUK scheitern daran, daß es eine Antwort auf jene Frage nicht gibt; sie scheitern an der Irrelevanz privater Veränderung unter dem Geschichtsgesetz der Öffentlichkeit. Selbst Lynn gehört für ihren Verfasser zu einer Außenwelt, deren Objekt er als Person ist und die er deshalb in seiner Autorenrolle nicht neu schaffen kann. Indessen zeichnet sich in MONTAUK deutlicher als in BIOGRAFIE, auf andere Weise als im GANTENBEIN, wieder eine Hoffnung ab – und abermals im Raum hermetischer Esoterik. Max Frisch zitiert die Utopie des Weiblichen.

X. Der Schriftsteller und die Dichterin – Goethe und Ingeborg Bachmann im "hermetischen" Raum

Max Frisch hat später eine neue, nicht nur ergänzende Lesart seiner autobiographischen Erzählung autorisiert und ihrer filmischen Realisation zugestimmt.

Die nach ANDORRA entstandenen Werke wurden ja oft als die privaten Bruchstücke einer belanglosen Konfession mißverstanden[171], und richtig ist, daß sich allmählich sogar biographische Details leichter extrahieren lassen – "impliziter" und "realer" Autor nähern sich anscheinend aneinander an. So darf das GANTENBEIN-Buch-Ich mit Frischs eigenen zwei Berufsrollen spielen: als Svoboda mit der des Architekten, als Gantenbein mit der "hermetischen" und komplementär als Enderlin mit der historistischen Künstlerrolle. Doch auch die gemeinsam mit Ingeborg Bachmann in Rom verbrachten Jahre von 1961 bis 1965 sind für die "autobiographische Erzählung" MONTAUK von Belang und ebenso die neue Ehe, die Frisch 1968 mit der damaligen Kunststudentin Marianne Oellers geschlossen hatte. Oder auch die beiden längeren Aufenthalte in den USA 1970 und 1971 – da entspricht der äußerlichen, biographischen Wiederkehr allerdings ein literarischer Zusammenhang der Reproduktion: Das neue "Erlebnis" des Autors konstituiert sich vor der Folie eigener Literatur, welche die früheren "Erlebnisse" in sich aufgesaugt hatte.

Als Johann Wolfgang von Goethes Autobiographie *Dichtung und Wahrheit* noch zu seinen Lebzeiten erschien, da führte er zur Entschuldigung dieses "bedenklichen Unternehmens" an, er habe, anläßlich der neuen Ausgabe seiner Werke, freundschaftlichen Bitten nachgegeben; erst die autobiographischen Mitteilungen verbänden jene "Bruchstücke einer großen Konfession". Die autobiographische Erzählung MONTAUK von Max Frisch erscheint 1975, kurz vor der Edition seiner GESAMMELTEN WERKE im Suhrkamp Verlag. Der Autor, mit dem er sich vor und neben Brecht immer wieder befaßt hatte, ist Goethe. Im Text von MONTAUK wird ein einziges autobiographisches Werk der Weltliteratur ausdrücklich erwähnt; es ist *Dichtung und Wahrheit*[172]. Im Gespräch mit Eckermann am 30. März 1831 hatte Goethe, nach einleitenden Bemerkungen "über das Dämonische", sein autobiographisches Unterfangen gerechtfertigt, erläuternd, daß

> die erzählten einzelnen Fakta [...] bloß [dienen], um eine allgemeine Beobachtung, eine höhere Wahrheit, zu bestätigen. Ich dächte, [...] es steckten darin einige Symbole des Menschenlebens. Ich nannte das Buch Wahrheit und Dichtung, weil es sich durch höhere Tendenzen aus der Region einer niedern Realität erhebt. [...] Ein Faktum unseres Lebens gilt nicht, insofern es wahr ist, sondern insofern es etwas zu bedeuten hatte.

Damit aber ist es dem "Dämon" ausgeliefert, der "sich gern an bedeutende Figuren" werfe – wie denn dem Buch-Ich im GANTENBEIN alle Sinnfigurationen seines Lebens unter dämonischem Gesetz standen (s. o. M NG 71); der MONTAUK-Erzähler muß sich fragen: "Wann werden die Erinnyen mich packen" – und zitiert damit jenen "Tagebuch-Roman" Frischs[173], dessen "wesentliche Metapher" ein "Dämon" ist: Den HOMO FABER. Auch hier gilt das Stilprinzip der "wiederholten Spiegelungen" aus Goethes Alterswerk; denn am Strukturmuster des *Tod in Venedig* orientiert sich der HOMO FABER, nachdem Thomas Mann wiederum seine "parodistische Meisternovelle" jener Gefährdung verjüngender Liebe durch Würdelosigkeit gewidmet hatte, wie sie ihm in der Biographie des alten Goethe begegnete und in dessen Werken gemeistert war: "DIRTY OLD MAN", lautet im amerikanischen Slang MONTAUKS verfremdendes Kennzitat für diese hochliterarische Problemkonstante. Die Autobiographie, wie sie

Frisch in MONTAUK unternimmt, ist eben nicht die Autobiographie eines Menschen, der nebenbei auch Schriftsteller war; es ist die Autobiographie eines schriftstellerischen Ich. Es übernimmt und überprüft die Repräsentationsrolle, die Goethe dem alternden Schriftsteller vorgelebt, die Thomas Mann (und in bemerkenswerter Analogie Gerhart Hauptmann) in unserem Jahrhundert übernommen hatte[174].
Die (persönliche) Begegnung mit Max Frisch hatte in Ingeborg Bachmanns Werk Epoche gemacht; Zitate Frischs aus ihrem Werk verweisen, seit MONTAUK, auf einen utopischen Raum jenseits des Zitats: Indem sie am Goethe-Modell gemessen werden, denunzieren sie Goethe-Nachahmung als Rolle.
Ingeborg Bachmanns Roman MALINA war eine Antwort auf Max Frischs MEIN NAME SEI GANTENBEIN[175].

Der Gesprächszerfall in Fragmente ist sein Thema; von einem Dialog eingangs wird nur der weibliche Part wiedergegeben, und der *Malina*-Roman insgesamt "ist eigentlich nichts anderes als der Bericht über einen Liebesabschied und zwar aus der Sicht desjenigen, der darunter leidet"[176]; diese Sicht der Frau ist konträr der Perspektive des Mannes in GANTENBEIN, und *Malina* endet mit der Szene, mit der jener beginnt: dem Verschwinden des lebendigen Ich durch einen 'Riß' in der Wand.

Die im GANTENBEIN in dem Möglichkeitsraum der Geschichten rekonstruierte und rückblickend verarbeitete Trennung ist das Ziel der Erzählbewegung in Ingeborg Bachmanns "Buch des 'Ichs'"[177].

Ist von ihrem Geliebten, Iwan, nur der Vorname bekannt, so erfahren wir von dem weiblichen Buch-Ich noch weniger: "ich werde unsere identischen, hellklingenden Anfangsbuchstaben", läßt *I*ngeborg Bachmann sie in einem Monolog an *I*wan sagen, "aufeinanderstimmen, übereinanderschreiben, und nach der Vereinigung unserer Namen könnten wir vorsichtig anfangen, mit den ersten Worten dieser Welt wieder die Ehre zu erweisen" (S. 32); jedoch bildet sich,

da von Malina, dem anderen Mann in ihrem Leben, nur der Nachname bekannt ist, in dem je Unvollständigen dieser Namen schon das Fragmentarische der wahrgenommenen Personen ab; die Liebe wird in die 'private' Welt der Vornamen gebannt. Soll dies Paar nicht das Schicksal erleiden, das bei Frisch vorgeschrieben ist, so hätten sie seine Warnung zu beherzigen: "Hütet euch vor Namen."[178]
Doch auch dieses Buch-Ich probiert Rollen an wie "Kleider"; sie besitzt allerdings nur zwei, jenes, mit dem Iwan sie "zum ersten Mal gesehen hat", und das andere, das Malina ihr "schenkte" und das sie "nie" anzieht (S. 320). Iwan und Malina sind Realfiguren und zugleich Projektionen von Segmenten des Ichs – wie, spiegelbildlich, 'Lila' und 'Camilla'; Iwan wird so zum Inbild ihrer vorbewußten Sinnlichkeit, Malina (mit einem Palindrom) zum "'animal' rationale". So, auf beide verwiesen, führt die Frau ein "Doppelleben" (S. 284), und ist einer 'Doppelsprache' ausgesetzt und verfügt als Erzählerin über die zwei entsprechenden Sprachebenen[179]. Alltäglich salopp wirft Malina ihr gelegentlich vor, sie habe sich "aufs Kreuz legen" lassen (S. 265); doch, in der sakralisierten Sprache der Erzählerin, wird ihre "Passion" ernsthaft zur "Kreuzigung", ohne daß – wie im STILLER – noch zu fragen wäre, welcher Partner den anderen kreuzige[180]; und ohne daß – wie im GANTENBEIN – noch die "Auferstehung" sich ereignete: Die wird vielmehr, als erstes Erlebnis ernster Liebe, im Lauf der Erzähl-Zeit zurückgenommen. Iwan verhält sich spielerisch – ein zweiter Enderlin, und Don Juan, der keine "Geschichte" will[181] – und mit diesen beiden Frisch-Figuren verknüpft ihn denn auch die 'Schachspiel'-Metapher. Dem *Don Giovanni*-Modell in Frischs Roman entgegnet Ingeborg Bachmann jedoch mit Anspielungen auf Wagners hochpathetische Liebes-Oper *Tristan und Isolde*[182]. Weil die Liebe in existenziellem Ernst nicht zu Worte kommen darf, tritt ihre mögliche Sprache wahrer Identität auseinander in die beiden Register der ekstatischen Opern-Sprache und der nüchtern-leblosen Sprache der Rationalität, beides Signale unechter Identifizierungen – einmal vom Ich in der Projektion des Gefühls Iwan aufgedrängt, dann von Malina dem Ich aufgezwungen als das richtige Gesetz der Dinge. Sobald die Leidenschaft, weil sie sich ohne Partner übersteigern mußte, in sich zusammenfällt, verschwindet das lebendige 'Ich' in der 'Wand' der vernünftigen Sachzwänge. "Es war Mord" (S. 337). Der, bei Frischs männlichen Protagonisten notorische "Mord an der Frau" wird hier aus der

Perspektive des Opfers geschildert. Freilich griffe eine private Anklage zu kurz: Der Mann Iwan *will* keine "Geschichte", doch die Erzählerin ahnt, daß es für ein 'Paar' in der historischen Welt keine erfüllte Geschichte geben kann: "In der Identifikation [ihrer] Außenseiterrolle als Schriftstellerin und Frau mit den Rollen des unterdrückten Kindes [in Träumen von ihrem, Iwan gleichenden Vater] und der von den Nationalsozialisten ermordeten Juden [gelingt es ihr,] die subjektive Klage in eine Anklage des unheilvollen Zustands der Welt zu verwandeln."[183] Sobald der "Mörder Zeit" in den Freiraum der Liebe einbricht, ist sie – im GANTENBEIN wie in *Malina* – zerstört; wenn 'Zeit' nicht nur existenzielle "Vergängnis", sondern gleichermaßen die Welt-Zeit bedeutet, wird aus der privaten Schuld ein übermächtiges Geschichtsgesetz, und auf die Unvergleichbarkeit von globaler, anonymer Zerstörungsmacht und privat-konkretem Rettungsversuch reagiert dann die ekstatisch-poetische Übersteigerung der Liebe zur Welt-Utopie der Erlösung einer Männer-Geschichte durch die Frau[184]:

> *Ton:* (Ingeborg Bachmanns Stimme im off) "Wo fängt der Faschismus an? Er fängt nicht an, wenn die ersten Bomben geworfen werden, worüber man in jeder Zeitung schreiben kann. Er fängt an in Beziehungen zwischen Menschen. Der Faschismus ist das erste in der Beziehung zwischen einem Mann und einer Frau. Hier, in dieser Gesellschaft, ist immer Krieg. [...]
> *Ton:* (Reporter) "... und der Mann wird hier in diesem Roman als unabwendbares, natürliches Unglück der Frauen bezeichnet, und es ist die Rede von der krankhaften Einstellung des Mannes zur Frau. Hat das auch mit dieser Spaltung zu tun?"
> (Bachmann) "Nein, natürlich nicht zwischen ihr und Malina, aber ... sie spricht trotzdem von der Krankheit der Männer, denn die Männer sind unheilbar krank."
> (Reporter) "Woran sind die Männer unheilbar krank?"
> (Bachmann) "Sie sind es. Wissen Sie das nicht?"
> (Reporter) "Wenn Sie mir es sagen..."
> (Bachmann) "... alle."

Denn, die Kleider-Metaphorik bedeutungsvoll abändernd, hatte das Ich zuvor schon die Anproben-Szene aus dem GANTENBEIN variiert: "Ich möchte aber [...] Iwan nicht hier haben, Malina schon gar

nicht"[185] – erkennt die Frau doch im "Spiegel" des Narziß das "einzig Wirkliche", ihr unverstümmeltes Selbst: "Ganz im geheimen wird wieder entworfen, was eine Frau ist, es ist dann etwas von Anbeginn, mit einer Aura für niemand." (S. 136) Wieder einig mit Frischs (freilich nie gehaltenen) Bildnis-Verbot, aber hier beeinflußt von Wittgenstein glaubt Ingeborg Bachmann an eine "Wirklichkeit, von der wir uns kein Bild machen können und dürfen."
Im "Vorschein" zeit- und raumlos, prophezeiht das Märchen diese Zukunft, und wie Frisch seine Utopie des Paars, so fügt Ingeborg Bachmann das gefährdete Erlösungsmärchen der "Prinzessin von Kagran" in ihren Roman ein[186].
Doch in der vorhandenen Geschichtswelt bleibt nur das 'Exil', der "emigrantische" Zustand des Dichters, wie ihn Frischs BÜCHNERPREIS-REDE bestimmte. Eine lebendige Poesie, wie das weibliche Buch-Ich sie verkörpert, muß sich einem Männer-Diktat unterwerfen, das nur den Krieg und das "Museale" duldet: So war ja Hermes von Kunsthistorikern wie Enderlin ins "Museum" gebannt, Malina aber ist "Archivar" im "Kriegsmuseum".

Die Übernahme poetologischer Prämissen und Motive aus MEIN NAME SEI GANTENBEIN und deren Neuverteilung auf Projektionsträger in weiblicher Perspektive prägt den Roman *Malina* wesentlich. Denn abermals ist die Romanschöpfung selbst der geheime Gegenstand des Romans: "[...] das Männliche und das Weibliche, der Verstand und das Gefühl"[187], sind die beiden Seelenkräfte, die im poetischen Schaffen gemeinsam wirken sollten; daß nun das weibliche Ich den innigen Zusammenhang mit einer Männer-Welt verlieren mußte, sich deshalb diese beiden Seelenvermögen mittels der Projektionsfiguren Malina und Iwan veräußern müssen und damit dem "Mörder Zeit" unterworfen sind und einander folgen: Dies verunstaltet das Schreiben zu einem "Mordversuch", statt zu einer Auferstehungs-Gebärde; das poetische Liebes-"Feuer" der Dichterin verzehrt sich selbst, man hat ihm jeden Gegenstand entzogen.
Zweifellos hatte Ingeborg Bachmann mit dem 1971 erschienenen Roman "die Summe ihres bisherigen Werkes vorge-

legt"[188]. Auch der gespaltene Dialog mit Max Frisch hatte schon in ihrem kunstvollen Erzählzyklus *Das dreißigste Jahr* (1961) begonnen, der gleichsam aus Frischs poetischem Lexikon neu komponiert ist; um so nachdrücklicher behauptet sie die Gegenstimme zu dessen Aussagen.

Die Titelerzählung montiert, mit Stichworten aus dem STILLER (bis zum: "stiller"werden – S. 98), nun die seelische Topographie ("Gefängnis") Dingwelt („Auto") und Ereignisse ("Unfall", "Prozeß") und Existenzialien ("Doppelleben", "Möglichkeiten", "Schrei" und "Sturz", wieder die Flucht vor Namen und die Liebe zum Absoluten; Erlösungsmodell) und die Reproduktionsthematik[189] dieses Romans und damit von Max Frischs Werk und literarischer Existenz in nuce[190]:

> Er wirft das Netz Erinnerung aus, wirft es über sich und zieht sich selbst, Erbeuter und Beute in einem, über die Zeitschwelle, die Ortschwelle, um zu sehen, wer er war und wer er geworden ist.

Der 'Mann von 30 Jahren' "wäre gerne mit einer neuen Sprache wiedergekehrt, die getaugt hätte, das erfahrene Geheimnis auszudrücken", findet aber nach seiner Rückkehr in die Heimat "keine Sprache für seine Wirklichkeit", gerät ins "Gefängnis", muß sich der üblichen "Gaunersprache" anpassen, deren Zweideutigkeit seiner Existenzspaltung entspricht.

> Ich denke politisch, sozial und noch in ein paar anderen Kategorien und hier und da einsam und zwecklos, aber immer denke ich in einem Spiel mit vorgefundenen Spielregeln und einmal vielleicht auch daran, die Regeln zu ändern. Das Spiel nicht. Niemals!

So blieb auch Stiller, der Ästhet und Lebensspieler, ein (protestierender) Konformist[191]. Er endet resigniert. Anklagend jedoch, wie später in *Malina*, verlängert Ingeborg Bachmann solch mißlungene Rückkehr in die Heimat bis zur Heimkehr in die Utopie:

Wenn du den Menschen aufgäbst, den alten, und einen neuen annähmst, dann
Dann, wenn die Welt nicht mehr weiterginge zwischen Mann und Frau, so wie jetzt, zwischen Wahrheit und Lüge, wie Wahrheit jetzt und Lüge jetzt

Das Irreale scheint einzutreten; der "ewig andere in uns"[192] wird zuletzt (mittels eines 'Auto'-'Unfalls') ermordet, und in der Annahme der 'Schuld', der Stiller sich nie unterzog, vollzieht sich – in genauer imitatio Christi, der aller Menschen Schuld auf sich nahm – die 'Auferstehung', sakralisierender Kontrast zur säkularisierten Oster-Parodie am Schluß von Frischs Roman.
Die Erzählung ist freilich nur eine von idealtypischen Stufen der Gesamtwirklichkeit, die Ingeborg Bachmanns Zyklus aufbauen will. Sie setzt ein mit der *Jugend in einer österreichischen Stadt*, die Kinder unter dem Terror der Geschichte durchleben müssen, entwickelt ihre Sprach- und Liebesutopie sodann im *Dreißigsten Jahr*, fragt auf der folgenden Stufe (*Alles*), wie man sich nach dem utopischen Ausbruch wieder in die "Kette" des "Zusammenhangs der Dinge"[193] einbringen könne; der gealterte männliche Utopist depraviert die 'Wahrheit' zum 'Wahn' und ist, wie Walter Faber, dermaßen in sein "impotentes" Schöpfungsprogramm gebannt, daß er sein und anderer konkretes Dasein nicht wahrnimmt und schließlich sein Kind von "Hanna" (wie beidemale die Mutter heißt) in den Tod treibt; sein wahnhaft-zeitloses Ursprungsdenken kaschiert, wie bei Frisch, nur die innere "Wüste" und "Öde" dieses Mannes[194]. –
Als Herren über die Geschichte zerstören, im folgenden Text diese "Mörder und Irren" gerade denjenigen, der sich – was Frischs Helden in ihrem Männlichkeitswahn stets unterließen – zu seiner "Impotenz" bekennt und nicht "schießt"[195]. Unter ehemaligen "Frontsoldaten" wird (und darauf insistiert Ingeborg Bachmann radikaler als Frisch) jegliches Metaphern-'Spiel' in realen Totschlag übersetzt: Nicht 'schießen'-wollen soll als eine politische Aussage ernstgenommen werden und provoziert die echten "Mörder". Nach dieser Ausweitung in Gesellschaft (III) und Geschichte (IV) konzentrieren sich die beiden folgenden Erzählungen, je mit einer weiblichen und einer männlichen Mittelpunktsfigur, typologisch auf die grundlegende "Schizophrenie"[196] im Dualismus der Geschlechter. Entwirft *Ein Schritt nach Gomorrha* konsequent den "Sinnzusam-

menhang einer weiblichen Schöpfungsgeschichte"[197], die über die männliche "Mord-Hypothek" nicht hinwegkommt, so tritt uns dann ein Verwandter Max Frischs aus der mütterlichen Linie der "Wildermuths" entgegen[198], der sich als Richter ernsthaft der Wahrheitssuche widmet, dabei jedoch in (als Gegenprobe gedachten) Fabeleien verstrickt, und – nachdem die Stationen des BIN und des STILLER[199] durchlaufen sind – doch nicht weiter kam als jener Rechtsanwalt Schinz: "Fest steht der Schrei" – "Er habe einen Schrei ausstoßen wollen." Daraufhin, und dies ist die Konsequenz der weiblichen Ästhetik im Werk Ingeborg Bachmanns, geht "Undine"; auf eine Erlösung, die solche Männer anzubieten hätten, muß die Frau verzichten[200].

Die Bachmann-Zitate in Max Frischs Werk zeichnen nach, wie allmählich diese *Utopie des Weiblichen* akzeptiert wird; einer Anerkennung der Perspektive des Opfers als Maßstab des Versagens kann er auch in der "autobiographischen Erzählung" nicht widerstehen. Wie Heinrich Böll, Günter Grass, Hermann Kesten und Uwe Johnson trägt auch Max Frisch dazu bei, die artistische Selbststilisierung von Ingeborg Bachmanns Existenz, nun nach ihrem 'Feuer'-Tod 1973, vollends in einen Mythos zu verwandeln[201]. Seit MONTAUK gibt sich nun sein Schreiben als versäumte Rede, verraten uns die versteckten Zitate aus ihrem Werk, wie der versäumte Dialog (s. o.) zeitversetzt in fixierten Formeln sublimiert wird. So enthält Frischs Werk neben der, bis zur 'schamlosen' Preisgabe getriebenen, "exoterischen" und öffentlichen Lesart seither eine geheime und "esoterisch"-private[202]; die zwitterhafte Kombination von Öffentlichem und Privatem, statt ihrer Verschmelzung in kommunizierender Liebe, war Frischs Thema seit je und ist jetzt, in MEIN NAME SEI GANTENBEIN, BIOGRAFIE, TAGEBUCH 1966–1971, wie DIENSTBÜCHLEIN und MONTAUK, zum Formprinzip radikaler Selbstkritik geworden[203].

> Nie war so viel Zauber über den Gegenständen, wie wenn du geredet hast, und nie waren Worte so überlegen. [...] Ach, so

gut spielen konnte niemand, ihr Ungeheuer! Alle Spiele habt ihr erfunden, Zahlenspiele und Wortspiele, Traumspiele und Liebesspiele.

Eben das artistische Sprach-'Spiel' verhindert die 'Erlösung' "Undines" – in GANTENBEIN, in MONTAUK und bereits im Verhältnis des Fischers Stiller zu seiner schönen, sprachlosen Julika, diesem "Meertier", das er geheiratet hatte[204]. In MONTAUK wird, wie zuvor, der Mann verurteilt, erstmals aber der utopische Anspruch, vor dem er versagt, als möglicher Gegenstand von Dichtung angesprochen; Frischs bisheriger Verzicht auf Utopie wurde ihm ja häufig angekreidet.
In einer, von Max Frisch autorisierten "filmischen Lektüre" seiner Erzählung wird die Utopie ins Zentrum gerückt. "Der Film versucht eine Konfrontation von literarischen Texten des Autors mit dokumentarischem Bild-Material, das zur Thematik dieser Texte gehört [...] [,denn:] Die Auseinandersetzung ist nicht abgeschlossen, wenn ein Text geschrieben und veröffentlicht ist; der Prozeß geht weiter."[205] War MONTAUK als literarisch reflektiertes Pendant zur Ausgabe der GESAMMELTEN WERKE und somit als Abschluß einer werkbiographischen Phase konzipiert, so wird es jetzt in den Anfang jenes Prozesses verwandelt, den Frischs folgende Werke führen werden. Sie handeln vom Versagen des Mannes vor dem Anspruch jener Utopie, die in *Malina* fomuliert und im MONTAUK-Film visionär vergegenwärtigt worden war. Dies geht weit über ein gelegentliches Bekenntnis zur Emanzipation der Frau hinaus:

Die Emanzipation der Frau war ein Männertraum, und ich sehe den Triumph der Frau darin, daß sie sich von diesem Männertraum emanzipiert. Das ist im Gang, und es ist keine Restauration des Hausmütterchens, sondern eine Emanzipation ihres eigenen Traums, daß der Mann ihr Beschützer bleibe, ohne daraus irgendwelche Rechte abzuleiten. Kennen Sie eine Frau, deren Anspruch auf Gleichberechtigung so weit geht, daß sie nicht früher oder später doch behütet sein will? Der Mann hat nicht ausgespielt; ausgespielt hat nur die Idee, der Unterschied der Geschlechter sei aufzuheben durch Kameraderie, durch Einführung der Hose und der fraulichen Berufstätigkeit, die gelegentlich auch nur ein Kostüm ist. Wie viele junge Frauen, denen wir es eingeredet haben, wollen denn wirklich einen Beruf? Ich glaube an den Triumph der Frau.

Ich glaube wirklich an etwas und das nenn ich: ein Tag wird kommen [...]
Ein Tag wird kommen, an dem die Menschen rotgoldene Augen und siderische Stimmen haben, an dem ihre Hände gemacht sein werden für die Liebe [...]

Im MONTAUK-Film werden diese Sätze aus *Malina* zur zitierten Vision; in der "autobiographischen Erzählung" erhoffte das männliche Ich, dem keine neue 'Geschichte' mehr glückt, "andere Liebesgeschichten": "Wir brauchen", so lehrt ihn das Gedächtnis an eine "emanzipierte Frau", an Ingeborg Bachmann – "die Darstellung des Mannes durch die Frau, die Selbstdarstellung der Frau" (S. 675f.).
Mag "die Idee" des Filmemachers gewesen sein, "die beiden Schriftsteller nebeneinanderzustellen, nicht als Paar, sondern als zwei Schriftsteller, jeder mit seiner eigenen Sprache"[206], – tatsächlich erhebt sich, in der Filmsequenz, Ingeborg Bachmanns Sprache zum lyrischen Ton der "großen Liebenden", während Frisch – seit langem in Rilkes Liebesmystik eingeweiht – den Resignationston des schuldigen "Verräters" übernimmt: "Dichten selbst ist schon Verrat", hieß es einst im *West-Östlichen Divan* Goethes.
In das Rollenbild der Goethe-Imitatio, die schon die Abgrenzung von Brecht gestützt hatte, fügt sich nun der männliche "Verrat" der weiblichen Utopie bruchlos ein. Nicht zufällig gerade in "Noten und Abhandlungen" zum *West-Östlichen Diwan* plaziert, mag Frisch wohl Goethes Unterscheidung der "drei echten Naturformen der Poesie" vorgekommen sein – "die klar erzählende, die enthusiastisch aufgeregte und die persönlich handelnde: Epos, Lyrik und Drama."[207] Der lyri-

sche Enthusiasmus spricht unvermittelt eine unentfremdete, liebende Menschen-Natur aus: Dies war der toten Dichterin Ingeborg Bachmann vorbehalten und kann in einer Männer-Biographie nur im tödlichen Zitat 'verraten' werden. Das Drama hingegen fordert und erlaubt die 'Schöpfung', soll der Rede einen "Körper" verleihen und die 'Impotenz' überwinden – wenn diese frühere Illusion für "Max" nicht längst zur Reminiszenz geworden wäre[208]. So bleibt das moderne Surrogat des Epos, das romanhaft-individuell-reflektierte Erzählen, als dessen Begründer ja die Romantik Goethe feierte[209]. Indem der MONTAUK-Erzähler sich, gemäß einem Prinzip Goetheschen Altersstils, "selbst historisch wird", verspielt er endgültig jene andere Stilmöglichkeit der Verjüngung und Liebes-Kommunikation, wie sie die Esoterik und Reim-Erotik von Goethes *Diwan* verwirklicht. Im (der Öffentlichkeit verborgenen) Wechselgesang mit seiner Geliebten, Marianne von Willemer, glückte Goethe jenes "herzliche Gefühl der *Gegenwart*", die Belebung 'neuer Form' aus 'toten Formen'[210]:

> Kenn ich doch der Väter Menge,
> Silb um Silbe, Klang um Klänge,
> Im *Gedächtnis* unverloren;
> Diese da sind neugeboren.

Zerfällt der lyrische Wechselgegang in zeitversetzte Dialoghälften (s.o.), so ist gerade eine "dünne Gegenwart" noch möglich, so herrscht das kryptische und tödliche Zitat, statt der "Chiffre" für eine Öffentlichkeit von Liebenden[211], so bleibt "Öffentlichkeit als Partner" außerhalb und die 'Wahrnehmungen des Körpers' vermögen in den 'hermetisch' geschlossenen Sprach-Raum des Geistes nicht mehr einzudringen; Hermes agiert zwar weiter als Gott der Vermittlung, doch nur Totes gehorcht seiner ars combinatoria[212]. Die echte Vereinigung wurde in Distanz aufgelöst; die Vermittlung zwischen den geschiedenen Polen ist unecht und artistisch.

Fehlgeschlagen war freilich auch Goethes Hoffnung auf sein Publikum, das sich eben mehrheitlich nicht wie ein eingeweihter Zirkel, sondern wie die anonyme Öffentlichkeit von Massenmedienkonsumenten betrug. Der Wechselgesang mit Marianne von Willemer blieb ein esoterisches Geheimnis[213]. "Olympische" und "geheimrätliche" Distanz wurde zur exoterischen Rolle von Goethes repräsentativem Dasein – und der Vorwurf, "nicht lieben zu können", zum Stigma dieser Rolle (etwa in der polemischen Rezeption von Bettinens Goethe-Briefroman). Seither wird die Unvereinbarkeit von Exoterik und Esoterik erlitten als Spaltung des Schriftsteller-Ichs in die 'öffentliche Person' und das 'wahre poetische Selbst'; dieses Rollenschema übernimmt, nach Thomas Mann, nun der Autor von MONTAUK, und macht jene Konsequenz zum Thema seiner "autobiographischen Erzählung" (s.o.).

XI. Endzeit: Triptychon. Drei szenische Bilder

In der Abfolge seiner drei Bilder "verrät" das TRIPTYCHON das Scheitern der Werbung des Schriftstellers um die tote Poesie; den autobiographischen Bezug hat Max Frisch esoterisch verschlüsselt (s. u. S. 140).
Als der Idealtypus des christlichen Altarbildes gilt das Triptychon:

> Die strenge Symmetrie des [...] Kultbildes entsprach der natürlichen Neigung, den Hauptakzent in das [subordinierende] Zentrum zu legen und die Mittelachse zu festigen durch das Gleichgewicht der seitlichen Teile.

In der strengen Tektonik seines "dreiflügeligen Buchaltars" hat sich Frisch diesem Formgesetz gebeugt, obschon der pure Inhalt der einzelnen Bilder, "die nicht Stationen einer dramatischen Handlung sind, sondern drei szenische Aspekte zum Thema geben" (wie der Autor etwas vordergründig behauptet), keineswegs auf Einheit der Handlung hin angelegt ist[214]:

> Das Erste: unsere gesellschaftliche Verlegenheit beim Ableben eines Menschen. – Das Zweite: Die Toten unter sich, ihre langsam versiegenden Gespräche am Styx, wo es die Ewigkeit des Gewesenen, aber keine Erwartung gibt. – Das Dritte: der Lebende in der unlösbaren Beziehung zum toten Partner, der, was immer der Lebende tue, nicht umzudenken vermag.

Zwischen Roger und Francine bahnt sich eine Liebes-Geschichte an, die im mittleren Bild sorgfältig ausgespart wird, während das letzte Bild, symmetrisch zum Ersten, ins 'Gedächtnis' ruft, was dort noch Zukunft war. Dabei entspricht der ersten Konfiguration "toter Mann/Frau", die Frisch als eine "erotisch"-theatralische Situation verstanden wissen will[215], die umgekehrte "Mann/tote Frau" im Schlußbild, doch wird das erste mit dem mittleren ebenfalls verbunden – durch die Gestalt des alten Proll –, wie das mit dem letzten durch die Figur des Clochard. Überdies sichern den inneren Zusammenhalt der Teile auch die Korrespondenzen, leitmotivischen Wiederaufnahmen und Wiederholungen (zugleich formale Spiegelungen des Gehalts), und vor allem die gestalterische Technik der Zurücknahme als Setzung. Denn die zuletzt gültige Geschichte, welche das anscheinend statische TRIPTYCHON darlegt, handelt vom Verlust der vielen Geschichten – deshalb darf das Personal wechseln, ohne daß die Entwicklung der Aussage darunter leidet.

So werden, in dem kunstvollen Reminiszenzenarrangement des zentralen "szenischen Bildes" die verwickelten, ineinander verflochtenen vergangenen Lebensgeschichten, die alle in den Tod mündeten, montiert: Biographie im Rückblick. Die Rekonstruktion des Lebenslaufes nach Kunst- und Bühnengesetzen lag ja schon im artistischen Kalkül des Stücks *Biografie*, obwohl der Verfasser dort noch vor den Konsequenzen des TRIPTYCHON zurückgeschreckt war und sich – nach seinen eigenen Worten (vgl. GW VI, 103) – erst von der Bühne davon überzeugen lassen mußte, daß die rückgewandte Perspektive Freiheit und Wahl ausschließt. Im Lauf des "Spiels" wandelte sich die Szene zur Todesszenerie: das TRIPTYCHON setzt hier ein. Die vielfältigen Möglichkeiten des Lebendigen, welche nach dem ersten Bild die Neugierde des Zuschauers reizen mögen, werden lediglich angedeutet, gleichsam achtlos, und gewinnen keine Wirklichkeit.

Einen wirklichen, "eigenen, gut ausgearbeiteten" Tod wie in Rilkes *Malte* oder (als unerreichbares Ziel) noch im STILLER, vermag sich im TRIPTYCHON niemand vorzustellen. Denn das reale Totsein drängt nur zu einer Frage: "Haben sie gelebt?" (S. 49) und – ratloser noch: "Warum leben die Leute nicht?" Frisch geht es um "das Todesbewußtsein, also (einen) Bestandteil von unserem Lebensbewußtsein, daß Tod nicht einfach ein *Unfall* ist, sondern daß er sinngebend für die ganze Existenz ist. Ohne Tod würden wir unser Leben nicht wahrnehmen."[216] Der Tod wird psychologisiert. Ein echtes Todesbewußtsein zielt auf das Leben; das tote Bewußtsein verfehlt das Leben. Im TAGEBUCH 1966–1971 hatte Frisch das alltägliche "Reich der Toten" skizziert:

> Wie sich die Griechen den *Hades* vorgestellt haben: – ein ältliches *Paar* aus Zollikon, das Mühle spielt, anderswo eine Familie mit keuschen Töchtern, in der Nische ein dicker Finne (liest Malraux) immer allein, andere vereint die Langweile nach unaufdringlicher Verbeugung, dann rücken sie die Sessel zusammen. Was sie reden? Vom Nebentisch höre ich: wo man am besten kauft. Dazu trinken sie Kaffee *wie im Leben*. Später in der Bar: wo man in Hongkong am besten speist. Aber dann weiß die Dame einen Rabbi-Witz; Lachen wie im Leben. Die Gattinnen erhalten sich besser, ihre Geschlechtlichkeit hat sie auch verlassen, aber sie sprechen mehr und flinker, sitzen ohne Buckel. Einer ohne Stock schlurft langsam Schuh vor Schuh, man hat immer Angst: Und wenn eine Schwelle kommt? Eine Gattin, die ihren Lebensgefährten nach seinem Hirnschlag betreut, trägt Schmuck pfundweise wie Beute, sagt ihm ab und zu, was er früher gewußt hat. Das Ehepaar aus Zollikon, nachdem es einen langsamen Walzer getanzt hat, ist jetzt schlafen gegangen. Kenner am Nebentisch: sie sammeln also Perser-Teppiche, Werte, die Werte bleiben. Es ist zehn Uhr. Morgen ist auch ein Tag. *Es wird sich nichts verändern.*

Das TRIPTYCHON spielt in der Thema-Alternative von Geschichtslosigkeit und Veränderung des TAGEBUCHS; nur gibt es jetzt keine Hoffnung mehr auf Veränderung: "Warum leben die Leute nicht?" Die Frage bleibt unbeantwortet: Erinnerung, Wiederholung als Rollenzwang, Gesprächszerfall, Endgültigkeit – seit je in Frischs Werk die Merkmale einer Phänomenologie des Tödlichen – herrschen uneingeschränkt[217]. Der "Tod als Mystifikation" verhindert das Leben: "Es ist schade um die Menschen."

Ihr Unglück aber ist sowenig wie im TAGEBUCH eine Privatsache. Dem "Kältetod" in "unserer Gesellschaft" korrespondiert nun im TRIPTYCHON die Erstarrung der offiziellen Politik in Dogmatik:

> Als du einmal in Moskau gewesen bist – du hast erzählt: Lenin im Mausoleum, es sei dir auf der Stelle übel geworden, sein kluger Kopf, der seit fünfzig Jahren keine Erkenntnisse mehr hat ... Das ist es: wir leben mit Toten, und die denken nicht um (S. 110).

Kaum verwunderlich, daß die "öffentlichen Tode" überwiegen, die mannigfach ausgeprägten Todesarten, welche von der Gesellschaft verschuldet wurden oder wenigstens symptomatisch sind für die herrschende Ordnung[218]. Selbst der Totenfluß Styx ist erst wahrhaft "tot", "seit das Carosseriewerk gebaut worden ist". Obschon die einzelnen Figuren im TRIPTYCHON mehr oder weniger deutlich in ein gesellschaftliches System eingeordnet sind, der Alte und Jonas als politisch bewußte Personen, ebenso der junge Spanier Carlos, der Schweizer Wehrpflichtige Xaver, haben die Toten selbst nichts zu ihrer Todesart zu sagen, und Jonas' Ansicht etwa steht wie andere im ironischen Reigen der Schlußzitate:

> Die Revolution kommt. Das ist einer Minderheit bewußt, die Mehrheit bestätigt es durch ihre Angst. Die Revolution, die kommen wird, macht uns unsterblich, auch wenn wir sie nicht erleben –

Einzig das Schweigen des jungen Spaniers Carlos 'verrät' eine Hoffnung auf die Solidarität für eine gerechte Sache, wie sie einmal von Intellektuellen im Spanischen Bürgerkrieg verfochten wurde. Solch bürgerlich etablierten Intellektuellen, wie sie die GANTENBEIN-Welt bevölkern, muß allerdings der Tod wie ein 'Unfall' begegnen[219].

Roger ist ihr Nachfahr. Ironisch genug, daß gerade er, dessen klugen Worten im ersten Bild bereits ein Mangel an Liebe anzumerken war[220], nun mit ebensolchen Worten die Geliebte 'erwecken' will:

> Es ist eigentlich das Orpheus-und-Euridike-Motiv, ohne daß darauf angespielt wird. Er will sie aus dem Totenreich holen. Er schaut aber zurück, und das bewirkt, daß sie im Totenreich bleibt und daß er zugrunde geht.

Roger ist freilich eine Inversfigur des Orpheus, ähnelt dafür jedoch Stiller, dessen Erweckungsmodell er imitiert, und Viktor, dessen Erinnerungs-'Dialog' er wiederholt. Francine, die er im Leben verließ, sucht er bloß aus Lebensschwäche. Eine esoterische Zitatmontage benennt – entschlüsselt – präzise Rogers Lebensthema: Denn in "Paris" findet das Totengespräch statt, und "Paris" ist – wie Athen oder Jerusalem – ein zeichenhafter Ort in Frischs Werk, für den er freilich erst in MONTAUK das mythologische Kryptogramm findet: die "Wahl des Paris"; tatsächlich versäumt schon Stiller in Paris die Wahl der richtigen Frau, und das diarische Ich von 1948 sah sich in dieser Stadt des Kultur-Zitats bereits auf sich selbst zurückgeworfen – da Stillers Selbst gleichfalls auf reproduzierte Zitate eingeschränkt wurde, hat er der Pariser Kunststadt-Atmosphäre natürlich nichts entgegenzusetzen[221]. Die ernsthafte Wahl hat Roger versäumt. Er ist untüchtig zu "leben", und das heißt: Roger kann nicht lieben.

> Du hast nie jemand geliebt, dazu bist du nicht imstande, Roger, und du wirst auch nie jemand lieben.

Nach dem 'Augenblick' der 'Erkenntnis' bleibt die Entfremdung der Partner. Die "Besichtigung des Tatorts und die Rekonstruktion des Hergangs" wird alsdann "zur neuen Leidenschaft, einer hypochondrischen, mit trüber Lust versetzten Sucht". Die Geliebte wird, als das damalige 'Andere', jetzt zum Reflexionsobjekt – sie ist eine Tote, die es noch gibt. Nachdem so die 'Schuld an der Frau' – der "Mord" ihrer

eigenständigen Persönlichkeit und die Verwandlung in eine Innenfigur – aufgedeckt wurde, folgen, mit jenem GANTENBEIN-Zitat, das Todesurteil und die Vollstreckung. Weil der Mann immer die Frau lediglich als Anlaß der Ich-Gewißheit und Vervollständigung seiner Identität verstanden hatte, verschwindet mit dem Entzug dieses "Inzitaments" sein Lebensrecht und jede Möglichkeit von 'Leben': "Sie sieht zu, wie er ohne Hast den entsicherten Revolver an die Schläfe hält." Rogers 'Sieg' ist seine Niederlage; weil er die Frau also in ein fixiertes Produkt seiner Projektionen verwandelt hat, zerbricht die "Spannung" des Lebendigen. Ihr starres Schweigen zwingt ihn nun in die Rolle des geständigen Tyrannen – wie in der Schlußszene der CHINESISCHEN MAUER, wie auch in der Erzählposition des 'Siegers' in der SKIZZE EINES UNGLÜCKS. Die sorgfältig vorbereitete letzte Szenenanweisung – "man hört wieder den Verkehrslärm, der jetzt sehr stark ist" –, klärt vollends, daß wir einem Gericht beiwohnen. Wie der Name "Roger" fast ein komplettes Anagramm von "Georg" ist, so klingt auch der letzte Satz von Franz Kafkas Erzählung *Das Urteil*, die – strukturell vergleichbar – um Liebensentzug und im familiären Rollenspiel verschränkte Schuldpotenzierung kreist, hier an: Beim Selbstmord des Georg Bendemann "ging über die Brücke ein geradezu unendlicher Verkehr". Diese Selbsttötung ist die "mimische Übersetzung" des "Urteils", über Roger wie über den liebesscheuen Georg.
Der Tod des Orpheus besiegelt den Tod der Poesie. Darin bestand ja seit der Romantik die Faszination der Orpheus-Mythe, daß 'Poesie' und Dichter getrennt waren und dessen Leistung, als Schöpfungsakt und Vereinigung des Getrennten, ins Unermeßliche stieg – freilich meist sich auch ins Unerreichbare verflüchtigte. Daß Schreiben unter den Machtbedingungen der Geschichtslosigkeit – ob diese sich in den Mechanismen der literarischen Öffentlichkeit oder im Rollenschema Mann/Frau offenbaren – allmählich selbst gegenstandslos wird, befürchtet der TAGEBUCH-Autor; das Buch-Ich in MONTAUK ist sich dessen fast gewiß, und das

TRIPTYCHON muß die Toten vollends in einer toten Sprache, in Zitaten, Selbstzitaten und Reminiszenzen sprechen lassen. Vom Autor sarkastisch plazierte Nebenfiguren kommentieren in der dritten Szene die Situation: Ein "junges Liebespaar kommt zurück" – als Roger/Orpheus die vergangene junge Liebe beschwört – "und geht vorbei", da die Außenwelt ihren Lauf nimmt, ohne Rücksicht auf ohnmächtige Worte; ein Auftritt des Clochards läßt, recht gedeutet, Rogers späteren Selbstmord plausibel erscheinen, denn im Hades hatte der Clochard als eine "parody of the artist" agiert[222], "the Poet-Seer, 'der unbehauste Mensch' – the voice in the wilderness which claims to have seen trough the subterfuges of ordinary living" – ohne damit öffentliches Interesse erregen zu können: Ein Schauspieler ohne Publikum, ein "Blessierter", in dem Doppelsinn, den Ingeborg Bachmann an dieser Figur entdeckte; er ist 'gesegnet' (engl.: blessed) und 'geschlagen' im Lebenskampf. Jedenfalls kein echter Schöpfer, sondern – als Schauspieler – nur dessen Sprachrohr in der Rollenmaske der Absurdität (s. u. S. 159).

> Zu den Begriffen, die ich mit Vorliebe brauche, ohne genauer zu wissen, was sie eigentlich bedeuten [...] gehört auch der Begriff des Theatralischen

hebt ein Eintrag im TAGEBUCH 1946–1949 an (S. 570–576), der schließlich, nachdem die Shakespeare-Szene "Hamlet mit dem Schädel des Yorick" als Musterbeispiel dieses Theatralischen angeführt wurde, eine definitorische Formel anbietet: "Wahrnehmung und Imagination". Der Imagination aber öffnet sich, wenn der Clochard diese Szene rezitiert, kein Spielraum, da sie aufgefangen wird vom Zitat als einer präzisen Wiederholung des Bekannten; auch sonst artikuliert der Clochard seine Rolle als Zyniker, obschon wir ihr zutreffende Erkenntnisse – ähnlich denen Rogers – verdanken, in einer Rollensprache. Und selbst die kargen Chiffren des Utopischen sind "auch schon gesagt"; jene Lust, etwas zu "essen,

was es auf der Welt nicht gibt", verurteilt Kafkas Hungerkünstler zum Tode[223].
Die ästhetisch-psychologischen Regeln, nach denen das Totenreich sich ordnet, entsprechen exakt dem, was Frisch stets für Eigentümlichkeiten des Schreibens hielt und als solche darstellte: der rollenhafte Wiederholungszwang, die Erinnerungsperpektive des Schreibenden, der Zerfall der Verständigungssprache. Von den auseinander hervorgehenden, sich überlagernden Gegensatzpaaren: Tod – Leben, Bildnis – Liebe, Erinnerung – Entwurf, Wahrnehmung – Imagination, Zitat – Variante, bewahrt das TRIPTYCHON nur die tödlichen Positionen, im Gehalt wie in der Form, in der wir ein umfassendes *Zitat des Vergangenen* erkennen. Es endet also nicht zufällig mit einem Selbstmord, der ein weiteres Paar im Totenreich 'vereint'. Wenn die Ehe jemals eine Metapher für Frischs Schaffen, für den erstrebten Einklang von bedeutendem Wort und gemeintem Gegenstand, von erprobter Autorrolle und imaginiertem Leser, sein durfte[224], dann ist das Ende des 'Paares' Roger und Francine, der Selbstmord des Orpheus, die geeignete Metapher für dieses Stück.

XII. Endformen: Zur Arbeitsweise Max Frischs im Spätwerk

Einige der früher veröffentlichten Stücke Frischs liegen in mehreren Fassungen vor, in denen sich die Phasen seines Werkes dokumentieren – vor allem die *Chinesische Mauer*, aber auch *Graf Öderland* oder *Don Juan*[225]. Bei dem späten Werk aber ist zumindest das archivierte Material sehr viel reichhaltiger: TAGEBUCH-Versionen aus den Jahren 1970 und 1972[226], ein Manuskript des WILHELM TELL vom August 1970, eines vom DIENSTBÜCHLEIN, datiert auf Oktober 1973, Vorformen von MONTAUK seit 1974, oder auch ein korrigiertes Manuskript des BLAUBART vom Oktober 1981. So erscheinen die vorliegenden Texte einmal, weil sie Themen, Motive und Schlüsselwörter früherer zitierten oder verdeckt darauf anspielen, als Endformen der Werkentwicklung, weiter jedoch auch als Endformen eines Entstehungsprozesses, der ebenfalls auf Verknappung, Pointierung und Verbergen des allzu Offenbaren hinstrebt. Besonders ausgeprägt läßt sich das am vorhandenen Material zu TRIPTYCHON und DER MENSCH ERSCHEINT IM HOLOZÄN nachzeichnen. Dabei berücksichtigen wir nicht einmal, daß Frisch am Text seiner Bühnen-Dialoge auch nach der Buchausgabe noch gefeilt und 1980 eine zweite Fassung vorgelegt hat.
Vom ersten Bild des TRIPTYCHON liegt nur eine, wenig aussagekräftige Vorstufe, die wohl im November 1977 entstand oder doch abgeschlossen wurde, vor; ungleich interessanter für uns, schwieriger für den Autor erscheint die Arbeit am zweiten, dem Mittelteil: Zehn Versionen sind hier zu berücksichtigen, während sich der Schlußteil ursprünglich – mit einer allzu direkten Anspielung auf das Rätsel der weiblichen Sphinx "Place des Pyramides" genannt –, schon ab Mai 1977

stabilisiert[227], und nach einem Prozeß weiterer Kürzung und Pointierung schon im November 1977 feststeht. Neben je einem Entwurfsblatt zu diesem wie zu dem vorangehenden müssen wir zwölf Fassungen des zentralen Bildes berücksichtigen:

1) September 1976 (A) – "Styx"
2) September 1976 (B) – "Ostern am Styx"
3) Dezember 1976
4) März 1977 (A)
5) März 1977 (B)
6) April 1977 (A)
7) April 1977 (B)
8) April 1977 (C)
9) Oktober 1977 (A)
10) Oktober 1977 (B) – am 15. 10.
11) November 1977
12) Januar 1978

Zwar war die Textsubstanz des Mittelteils schon früh entstanden; die Fassungsgeschichte besteht nicht im Wachsen, sondern in der Reduktion des Textes (I) und im Test verschiedener Methoden der Sinnzuweisung (II): Durch offene Einführung einer weiteren Bedeutungsebene als Vergleichsmaßstab, durch motivische Verknüpfung und Spiegelung, durch die literarhistorische Anspielung; Frischs Verzicht auf fast all diese möglichen Fixierungen, nachdem er sie erprobt hat, rechtfertigt unsere These einer esoterischen Semantisierung des Schlichten: Jedes Wort und jeder Stilzug des TRIPTYCHON verweist auf einen Sinn-Kontext, der gestrichen wurde.

I) Der Arbeitsgang beginnt demgemäß abstrakt mit Thesen und thematischen Stichwörtern; so notiert Frisch zum dritten Bild:

> Er lebend, trifft Sie, die Verstorbene: er nimmt das als ihre Rückkehr ins Leben, sie wiederholen die letzte Begegnung, es hat sich gezeigt: es ist die letzte gewesen, er ist auch tot.

Dem zweiten werden die Themen "Freundschaft. – ein Verrat, Mißverständnis – nicht mehr zu beheben, da man tot ist", und – nicht verwunderlich – "ein Mord" vorgegeben,

dann szenisches Material dazu erprobt, arrangiert und häufig genug wieder gestrichen.
So entfallen mit Handlungssequenzen auch die entsprechenden thematischen Stichworte und Konstellationen: Als Mutter des "Alten" sollte noch eine, von einer Hostess betreute "Greisin" auftreten, als dessen Tochter die Krankenschwester Ilse, (Nr. 4), deren Verlobung mit einem jungen Bankangestellten auseinandergeht, weil die "rote" Mentalität ihres Elternhauses und die Respektabilitätswünsche einer Bank sich nicht versöhnen lassen (vgl. Nr. 5). Auch der Auftritt einer partnerlosen "Exzellenz", der hier (in Nr. 5) die Psychologie der Klassen vervollständigt hätte, entfällt dann wieder, wie auch Katrins plakative Reduzierung ihres Lebensproblems mit dem "Alten" auf dessen "Bourgeois"-Bewußtsein.
Gleichfalls entfällt das (in Nr. 7 einmal erprobte) Thema vom 'revolutionären Sohn aus gutem Hause', das am Verhältnis des Jonas zu seinem invaliden Vater, der zudem auch die Freundschaft zum "Alten" verraten soll, durchgespielt wurde.
Das Reizthema "Gewalt gegen Frauen", verquickt mit der – aus dem TAGEBUCH bekannten – allgemeinen Thematik der Gewalt, wird (ab Nr. 7) eliminiert; in (nicht ganz klarer) Synonymie zu ANDORRA wurde Katrin von zwei "Schwarzen" verfolgt.
Generell scheut Frisch die Nähe zu früheren Werken, wenn sie sich leicht erkennen läßt. Ursprünglich stand das Mittelbild des Triptychon im Zeichen des Hermes – und allzu nahe an dem "hermetischen" GANTENBEIN-Roman[228]:

> Die weiße Statue auf dem Sockel bewegt sich plötzlich: Hermes schaut Katrin an, die ihn nicht wahrnimmt, dann blickt er in die andere Richtung, als sei er gerufen worden, steigt vom Sockel lautlos und leicht und geht dahin.

Man hört mit plötzlichem Einsatz eine Orgel, dazu Gregorianische Gesänge, gesungen von den Benediktinern der Abtei St. Maurice & St. Maur, Clervaux. Der junge Pastor kniet, alle Figuren bleiben reglos, solange die Musik zu hören ist; nur Hermes, der sich auf seinen Sockel gesetzt hat, bewegt sich: er sieht sich die Figuren an. Die Musik endet mit dem großen Glockengeläute.

Ein Fremdenführer kommt mit einer Gruppe und führt sie vor den Sockel, der leer ist.

FÜHRER Und hier, meine Damen und Herren – Darf ich um Ruhe bitten? – hier sehen Sie eine Statue des Hermes. Wahrscheinlich eine hellenistische Kopie, aber tadellos erhalten. Beachten Sie zum Beispiel die Haltung des Kopfes:

Einige knipsen die nicht vorhandene Statue.

FÜHRER Hermes ist eine vieldeutige Gestalt, berüchtigt als Gott der Diebe und der Schelme, selber ein Schelm, der am Tag seiner Geburt schon die Kälber des Apollon gestohlen hat, bekannt für seine Behendigkeit. Ein Freund der Hirten, Beschützer der Herden, die er vor dem Sturz in die Schluchten bewahrt. Er zeigt den wandernden Kaufleuten den Weg, ein Glückbringer, aber auch ein Irreführer. Hermes ist ein Meister der List. Homer nennt ihn auch den Führer der Träume. Er liebt es, so heißt es, unsichtbar zu sein, wenn er den Sterblichen naht. Das Plötzliche, das Unverhoffte gehört zu seinem Wesen, aber auch das Unheimliche. Hermes ist ein menschenfreundlicher Gott, ein Glückbringer, wie gesagt, aber auch der Götterbote, der die Scheidenden holt, lautlos wie immer, und sie in den Hades führt.

Während Hermes schon ab der zweiten Version auf der Bühne nicht mehr sichtbar wird, hat Frisch lange mit dem Musikkontrast der Gregorianik experimentiert, einmal ganz auf sie verzichtet (Nr. 4), nachdem sie zuvor, in der generell auf Deutbarkeit angelegten B-Fassung vom September 1976, erheblich ausgebaut worden war (neben das "Te Deum" hatte Frisch die christologischen Hymnen "Christus Resurgens" und "Ad cenam agni" gestellt); erst im April 1977 (B) wird sie dann auf das Osterthema eingestimmt. Eine frühere, die Spannung von Sakralisierung und Agnostizismus geradezu virtuos steigende Rollenrede des Pfarrers muß getilgt werden; die verschwiegene Konstellation ist gerade bei diesem Thema Frischs Stilprinzip im Spätwerk.

Lange hatte Frisch auch ausführliche erläuternde Zitate geplant. Der B-Version vom September 1976 war, gleichsam als Szenenanweisung für den geistigen Raum, ein längeres Zitat von Walter F. Otto vorangestellt, das ab März 1977 (A) am Schluß auf eine Seite Zitatcollage aus Lars Gustaffsons *Der Tod als Mystifikation* folgen sollte; es lautet[229]:

> "Der Tote kann kein handelndes Subjekt mehr sein, aber die Gestalt des Gewesenen ist nicht ausgelöscht./ Denn das ist das zweite: auch drüben ist der Tote kein tatkräftiges Wesen wie früher, sondern nur ein dünner Hauch, der die Gestalt des einstigen Lebens besitzt, aber keines seiner Vermögen./ Da steht auf den Grabskulpturen das abgeschlossene Leben in seiner natürlichen Haltung, rührend-liebenswürdig oder in ernster Würde, und das Auge, das durch nichts in die Zukunft gewiesen wird, schaut ergriffen die Ewigkeit des Vergangenen./ Freunde im Leben sind auch als Schatten beieinander./ Wenn der Mensch das Ziel seines Lebens erreicht hat, ist es in dieser Welt wirklich mit ihm zu Ende. Er wird im Tode nicht wachsen."

Und daran sollte sich jene HOMO FABER-Stelle, der schon MONTAUK einen bedeutenden Platz eingeräumt hatte, noch anschließen[230].

Doch geht Frisch darauf aus, alle Thema-Schlüssel, die ihn bei seiner Arbeit leiteten, aus dem fertigen Text zu eliminieren; so hat sich nicht eine der frühen Entwurfsanweisungen erhalten können, und ebenso werden ausdrückliche Figurenkommentare gestrichen. Roger etwa hatte erläutern wollen:

> Du hast gemacht, was ich gemacht habe: du hast dir eine Geschichte zurechtgelegt, unsere Geschichte, eine unabänderliche, und dabei haben wir beide noch gelebt. . .

Nun bietet sich nicht allein die Einsicht, daß sich jeder Mensch früher oder später eine Geschichte zurechtlegt, die er für sein Leben hält, aus dem GANTENBEIN zum Vergleich an, sondern Roger sollte überdies anfangs einmal "Theo" heißen; Frisch hat dies natürlich bald verworfen, wie ihm auch die schlichten Personalpronomina "Er/Sie" nicht behagten; tatsächlich hatte er sie bereits einmal in der CHINESISCHEN MAUER verwendet, die in seinem Spätwerk vielleicht der wichtigste Bezugspunkt unter den früheren Stücken ist.
II) Der Versuch, zum Thema des versäumten Lebens eine Kontrastgeschichte einzuführen, wird wohl aus diesen beiden Gründen aufgegeben: Einmal wegen der szenischen Nähe zum früheren Bühnenstück, dann wegen der thematischen Verwandtschaft mit dem "Jahrhundertwende"-Motiv im STILLER. Denn die junge Russin (Nr. 2), die um 1900 mit Briefen an ihren abwesenden Geliebten ein zur Roger-Francine-Szene inverses Gespräch geführt hatte, ähnelt den "großen Lieben" Rilkes auffällig. Dann (Nr. 4) imaginiert sich Katrin eine andere, bessere und vergangene Geschichte:

> Sie haben jemand geliebt. Das habe ich mir so gedacht, wenn ich Ihre bronzene Büste sah. Und jemand hat Sie geliebt. Eine Geschichte, wie sie in den Büchern steht. Eine altmodische Geschichte, eine große Geschichte, eine pathetische Geschichte –

Tatsächlich begegnet der Herr, dessen Büste im Stadtpark solche Phantasien auslöste, nun im Hades "einer jungen Dame im Kostüm der Jahrhundertwende": "Sie haben sich [gefunden] erkannt." Frischs Sofortkorrektur nähert dies Ereignis vollends der Romeo-und-Julia-Thematik aus der CHINESISCHEN MAUER an, die sich trotz der Masken erkennen;

obschon dies hier, als weitere Kostüm-Rolle kenntlich und als Wunschprojektion Katrins zu entschlüsseln wäre, hat Frisch wohl auch die Spielregeln seiner Hadeswelt durch solche Ausnahmen nicht weiter komplizieren wollen[231]. Diese doppelte Tendenz – zum Klaren, Einfachen wie auch zum Diskreten – prägt ja das TRIPTYCHON insgesamt.
Deshalb wird auch konsequent die motivische Verknüpfung ersetzt durch eine thematische. Auf den ersten Blick überraschend-plausible Verwandtschaftsverhältnisse zwischen seinen Personen hat Frisch getilgt, um die Verwandtschaft der Situation nicht durch solche Effekte zu trüben. Deshalb wird auch die "Liebes"-Geschichte zwischen Roger und Francine im Mittel-Bild nicht fortgesetzt, obschon dort Francine einmal auftreten und eigenwillig, also noch nicht völlig abgestorben von Roger sprechen sollte:

> Warum wir uns getrennt haben – damals – er hat die Trennung vorgeschlagen – warum es richtig gewesen ist, daß wir uns getrennt haben, er wird es nicht verstehen, so fürchte ich, in Ewigkeit nicht. . . Was mache ich mit seiner Reue? . . . Ich will nicht, daß er kommt.

Erst ab Januar 1978, wenn dieses in die Gesamtfolge der Bilder eingegliedert wird, entfällt dieser Part der Francine. Sie ist zweifellos eine wichtige Figur für ihren Verfasser, hat er doch in der dritten Szene das Modell eines literarisch inszenierten, statt eines wirklichen Dialogs ausgestaltet, das dann im MONTAUK-Film wieder auf den Mythos von Ingeborg Bachmann rückprojiziert wird. Andere, vergleichbare MONTAUK-Anklänge sind freilich während der Ausarbeitung des TRIPTYCHON zurückgenommen worden[232].
Auch DER MENSCH ERSCHEINT IM HOLOZÄN läßt sich nur noch auf einer allgemeinen, motivischen Ebene mit Lektüreerfahrungen im Werk Ingeborg Bachmanns verbinden. Im Zentrum des Interesses standen für Frisch hier, wie die Entstehung belegt, erzähltheoretische Fragen. Der erste, aus dem

Jahr 1974 stammende Entwurf "Regen", war im Wechsel von "ich"- und "man"-Form erzählt, als "Bericht" eines "Verfassers"; er enthält noch den thematischen Vorsatz: "Es kann eigentlich nichts geschehen, aber man verliert das Gedächtnis, heute ist es eine Woche, ich erinnere mich nur noch an Regen."

Im Februar 1974 heißt der Text schon "Klima"; die Berichtsposition des HOMO FABER ist gefallen, und Frisch experimentiert mit der "Sie"-Anrede (s. o. S. 33); die Montage von Erzählung und Dokument (Zitate, Graphiken, Landschaftsphotos) scheint sich als Prinzip der Textorganisation zu bewähren:

> [...] aufschlußreicher zur Stunde sind Wanderbücher, Reiseführer, Heimatbücher etc., Historisches betreffend die Gegend, auch Geologisches.

Bis zur Druckvorlage im November 1977 steigt die Zahl der Fassungen trotzdem auf zwölf; wichtige Teile, wie die Geschichte vom "Bruder" und der Ausbruchsversuch, werden erst spät (und zwar im August 1978) eingefügt; der Titel steht erst im Oktober 1978 fest.

Die erzähltechnische Reflexion und Raffinesse, die sich in der nun vorliegenden Er-Erzählung verbirgt, haben dem Autor, dessen Wohnsitz in Berzona/Val Onsernone ja bekannt ist, nur wenig genutzt: Gelesen wurde seine Fiktion als Konfession, und er versucht gelegentlich, sich zur Wehr zu setzen[233]:

> DER MENSCH ERSCHEINT IM HOLOZÄN, nun ja, dieser Herr Geiser in der Erzählung ist nicht viel älter als der Frisch, Herr Geiser verendet im Tessin, und dort hat Max Frisch doch ein kleines Haus, bitte, wenn das nicht autobiographisch ist! Und also privat! Und ich gebe zu: Die Wanderung, die der Herr Geiser macht vor seinem natürlichen Tod, ja, die kenne ich. Im topographischen Sinn, meine ich. Diese Beschreibung des Weges, wie auch anderes, was über das Val Onsernone berichtet

wird, ist authentisch. Bin ich deswegen Herr Geiser? Es gab in dem Tal einen alten Mann namens Armand Schulthess, ehedem ein Beamter, ein Eremit, der jetzt, im Alter, plötzlich alles wissen wollte. Wie *Bouvard und Pecuchet*, die närrischen Enzyklopädisten. Und wie mein Herr Geiser, der seine Stube tapeziert mit inkohärenten Lexikon-Informationen. Um sich behaust zu fühlen in dieser Welt! Armand Schulthess hantierte anders, er schrieb das alles auf Blechdosendeckel und nagelte diese an die Baumstämme auf seinem Gelände, die Einstein-Formel, Literatur-Zitate, Zahlen aus der Statistik und so weiter, dazu seine eigenen Erkenntnisse: "Der größte Vogel kann nicht fliegen", was ja wahr ist, ja, und wenn man sich näherte, warf er mit Steinen, er wollte einsam sein in seinem Enzyklopädie-Wäldchen und starb vor einigen Jahren. Armand Schulthess: das Modell für meinen Geiser, nein, das kann und muß der Rezensent ja nicht wissen, aber wie kommt jeder zweite Rezensent zu der Unterstellung, das alles sei halt wieder autobiographisch? Es gibt da kein Gesetz, das von Rezensenten etwas verlangt, zum Beispiel begriffliche Genauigkeit. Authentisch gleich autobiographisch gleich privat gleich indiskret oder irrelevant und so weiter...

XIII. Erdgeschichte und Humanität: Der Mensch erscheint im Holozän

TRIPTYCHON und DER MENSCH ERSCHEINT IM HOLOZÄN sind "parallel entstanden"[234] und haben eine einheitliche Thematik, eben das "Todesbewußtsein". Allerdings hat Frisch die in "Klima" angelegte, aber doch bereits im HOMO FABER erschöpfend genutzte Verbindung von Todesbewußtsein und Technik aufgelöst; damals war Herr Geiser noch als Fachmann für "Klima"-Anlagen vorgestellt worden – als der Produzent einer Kunst-Natur, die unter den natürlichen Bedingungen menschlicher Existenz zerbricht.
Jedenfalls zitiert auch die endgültige Version literarische Modelle und zählt – wie MONTAUK – Frischs eigenes Werk unter die zitierbare Literatur. In erdgeschichtlichem Zusammenhang hatte immerhin einst Thomas Mann den Humanismus begründen wollen – und genauso weit wie von der brillanten Scharlatanerie des Hochstaplers Felix Krull ist Herr Geiser davon entfernt.

Jenes abgelegene Tessiner Tal wird von Wolkenbrüchen, sintflutartigen Regenfällen heimgesucht, die Verbindung mit der Außenwelt ist abgeschnitten, auch die Stromzufuhr, doch die Stützmauern halten, und einen Erdrutsch befürchtet niemand; auf die Kantonsregierung wird man sich verlassen können – im Notfall. Herr Geiser, ein unauffälliger Privatier, der seinen Lebensabend hier verbringt, weiß, daß der Notfall bereits eingetreten ist. Überall nimmt er "Risse" wahr[235]. Die Geschichte spult sich zurück, so weiß er, zur Vorgeschichte, zur Eiszeit. Er reagiert ohne Pathos, fast pedantisch.

"Unsere Lage einmal erdgeschichtlich zu sehen", ist keine neue Perspektive für den Autor der CHINESISCHEN MAUER oder auch des ersten TAGEBUCHES und noch des GRAF ÖDER-

LAND; ihm wie seinen Figuren ist die "Gnade" des Lebens bewußt: "Vor uns die Un*zeit*, das finstere Unwissen der Dinge; nach uns die Unzeit, das finstere Unwissen der Dinge" – hymnisches Daseinslob, Melancholie und Selbstfeier des Menschen als kosmische Ausnahme läßt sich das frühe Werk Frischs deshalb bei keiner Gelegenheit entgehen. Herr Geiser indessen notiert, schreibt Lexikonauszüge auf Wandzettel, legt Listen an von Dingen, die nicht in Vergessenheit geraten dürfen, einfache Dinge – zuhanden der "Nachgeborenen"[236]. Die Schlußszene der Erzählung übernimmt Frisch aus einer Rede, die er zum Geburtstag von Alfred Andersch gehalten hatte, und gibt damit einen deutlichen Wink zur Abfolge literarhistorischer Modelle. Wir werden an die Literatur der Nachkriegsjahre erinnert; damals war man – um den Schlagworttitel eines Stückes zu zitieren, aus dem DIE CHINESISCHE MAUER ihre zentrale, von Frisch im "Regen"-Manuskript eigens notierte Metapher entlehnt – "noch einmal davongekommen"[237]; nun galt es – etwa in dem berühmten Gedicht von Günter Eich *Inventur* – erst einmal festzustellen, was die alltäglichen Dinge noch taugen und ob der Schriftsteller deren alte Namen, nach der Barberei und nach der Katastophe, noch verwenden dürfe[238]. Damals wuchs die Einsicht in dessen Ohnmacht wider Geschichtsabläufe, die von der gleichzeitigen Philosophie der Frankfurter Schule als "naturwüchsig" bezeichnet wurden; so konzipierte Sartres Existenzialismus eine "Literatur der äußersten Situationen", die "von den Verhältnissen dazu gewungen" wurde, "den Druck der Geschichte zu entdecken"[239]. Und so erhalten bei Ingeborg Bachmann die "Bilder der Natur [...] über die zeitgeschichtliche Entfremdungserfahrung hinausweisend, immer wieder allegorischen Sinnbildcharakter, wo der Gedanke der Vergeblichkeit der Geschichte anklingt." DER MENSCH ERSCHEINT IM HOLOZÄN ist eine "Geschichte vom Eingeschlossensein im Unheil, Schicht um Schicht setzt es sich zusammen, bedenklich, langsam, wie die Gesteinsschichten sich bilden in Jahrmillionen"[240].

In esoterischen Metaphernfolgen werden die Dimensionen des Unheils ausgemessen; überdies verhält sich Herr Geiser unter dem Druck der Katastrophe als Schriftsteller und versucht, die Spuren menschlichen Daseins in Exzerpten menschlichen Wissens zu sichern. Die Unverbindlichkeit bloßen Wissens stand zwar schon für den Autor des STILLER fest, doch ergibt sich aus Herrn Geisers Zitatmontage ein 'verräterisches' Psychogramm. Sie beginnt mit dem biblischen Schöpfungsbericht (S. 17); darauf folgt die Anleitung zum "goldenen Schnitt", der Formel harmonisch-schöner Proportionen. Der Ursprung der Weltgeschichte und die Möglichkeit einer Konstruktion des Schönen sind also die thematischen Richtpunkte; die 'Liebe' (1) und die 'Verwandlung' (2) wären Mittel zu solchen Zwecken.

(1) Doch Herr Geiser ist ein 'Adam ohne Eva' (vgl. S. 113); seine Gattin ist längst tot und der Ehemann ihr potentieller 'Mörder'. Denn er verfügt über ein 'Bildnis' von ihr, und er ermordet – wie Stiller – eine Katze (S. 125), so daß wir der Aufschlüsselung im früheren Roman wohl auch hier trauen dürfen: Die "Katze" ist die Ehefrau.
(2) Metamorphosen, wie sie Schönheit erst lebendig machen, hatte der Gesang des Orpheus bewirkt; Herr Geiser kann diesen Mythos nur zitieren (S. 35, 74). Seine Schriftstellerei wird die Welt nicht verändern, indem sie eine neue 'Geschichte' schafft. Statt am Anfang, so spürte er selbst, stehen wir "am Ende der Welt" (S. 32). Daher will er das Schöne "nicht so wichtig" nehmen (S. 52) und 'brav' das Notwendige notieren.

Herr Geiser verhält sich unter dem Druck der Katastrophe als Schriftsteller; er versucht, die Spuren menschlichen Daseins zu sichern.
Rührend und ein wenig komisch ist die Tapferkeit des Herrn Geiser. *Indem dieser* in seinen meteorologischen, geologischen und naturgeschichtlichen Datenexzerpten *die Kontur eines nahenden Weltuntergangs entdeckt, wird die drohende Gefahr, in welcher ihr Prophet zuletzt umkommt, überhaupt erst heraufbeschworen*. Seine entsetzte Angst ist Anlaß und

Ergebnis der schriftstellerischen Tätigkeit. Er verstrickt sich im "Netz Erinnerung" (s. o. S. 119).

"Unsere Gottheit,/ die Geschichte, hat uns ein Grab bestellt,/ aus dem es keine Auferstehung gibt"[241] – doch will Herr Geiser, in dem schweizerischen Bergtal gefangen wie einst der sympathische Habsburger Beamte, auch die Gebärde existenziellen Aufbruchs imitieren: "Sieh dich nicht um ..." In einer existenziellen Entscheidungssituation, wie sie bei Alfred Andersch diarisch rekonstruiert, bei Ingeborg Bachmann lyrisch mythisiert wurde, wählt auch Herr Geiser die Chance zur Auferstehung seines Ich aus den Zwängen der Naturgeschichte. Kurz vor dem Ziel kehrt er um. Dieser Autor will auf verlorenem Posten verharren. Zwar ist dem Einzelnen noch immer der "Widerstand gegen die bedrohlichen Zeichen der Zeit aufgegeben", aber eine Hoffnung hat ihm Max Frisch anscheinend nicht anzuvertrauen.

Der letzte Lexikoneintrag, den er in sein Buch montiert hat, berichtet von einem Schlaganfall, einer "plötzlich eintretenden Ausschaltung mehr oder minder großer Hirnteile", "oft mit Sprachverlust einhergehend", und nimmt damit die persönliche Katastrophe vorweg, die Herrn Geiser allein betrifft – wie den Architekturprofessor in STATIK, wie den Rechtsanwalt in SCHINZ. Denn im Schlußbild ruht die Natur – in der 'Statik' von Frischs Selbstzitaten. "Das Dorf steht unversehrt. Sommer wie eh und je. Die Gletscher, die sich einmal bis Mailand erstreckt haben, sind im Rückzug." Trotzdem rückt, in der Literatur der siebziger Jahre, die "Eiszeit" näher. Das Unbewußtsein der Natur, des Geschichtslos-Ewigen, des Unmenschlichen triumphiert in diesem starren Schlußidyll[242].

Wie "zernichtet" hatte sich Georg Büchner "unter dem gräßlichen Fatalismus der Geschichte" gefühlt; denn dem jungen Revolutionär hatte sich, beim Studium der – von seinen Zeitgenossen auch als erdgeschichtliche Metapher ausgebeuteten – "Geschichte der Revolution" gleichsam (nach einer Formulierung Walter Benjamins) "die facies hip-

pocratica der Geschichte als erstarrte Urlandschaft" erwiesen.
"Räume unbekannten Lebens", so meinte 1948 des TAGEBUCH-Ich, seien "der Raum der Epik" (S. 554); im zweiten TAGEBUCH glaubt er wenigstens, im Erzählen gewännen solche "Urlandschaften" plötzlich "Sinn" (S. 257); der 'tapfere' Schriftsteller, dem 1979 diese Aufgabe überbürdet wird, verfügt freilich nicht mehr über das Sinn-Register des Erzählens. Zuletzt bietet das Tessiner Tal ein Naturtableau "wie eh und je" (S. 141). Leidenschaftslos und ungerührt schreitet das "sanfte Gesetz" Stifters – ein Autor, bei dem die Nachkriegsleser gern den Trost suchten, den Büchner schroff verweigerte, – über die Katastrophe des Einzelnen hinweg. In seiner späten Erzählung korrigiert Max Frisch erneut das Pathos seiner frühen Werke und des Literatursystems, dem sie angehören, aus der Sicht historischer Alterserfahrung. Nachdem sich der Autor selbst "historisch geworden" ist, gibt er nicht die früheren Ideale, wohl aber den literarischen Schwung des Idealismus vollends auf.
Das Gedächtnis verbürgt durchaus die bessere Möglichkeit, daß "brüderliche" Solidarität und gemeinschaftliches Handeln den Menschen menschlich überleben lassen: Als Erinnerung wird, wie ein Bruder den anderen aus hoffnungsloser Bergnot rettet, berichtet – und als "Vorschein" (Ernst Bloch) humaner Hoffnung. – Und als Korrektur eines früheren "Bergsteigerbuches" Frischs – ANTWORT AUS DER STILLE von 1937 –, welches von der Niederlage eines eher egozentrischen, denn tapferen "Tat"-Süchtigen im Kampf gegen die grausame "Stille" der Berge handelte[244]. Daß Ludwig Hohls Erzählung *Bergfahrt* inzwischen veröffentlicht worden war, komplettiert die Konstellation von Kontrasten, hatte Frisch doch bei Hohl die erste Widerlegung jenes epigonalen Frühwerks lesen können: Die "Nichtexistenz der großen Tat" zwingt, laut Hohl, zu vielen kleinen Taten. Noch verstrickt sich Herr Geiser in Kleinigkeiten; er versteht die "Forderungen des Tages", ohne über die Mittel ihrer Befriedigung zu

verfügen. Dies ist die Situation (nicht nur des Schweizer) Schriftstellers heute.
Die "Klima"-Fassung hatte indes noch, in einem Netz von Schlüsselbegriffen das Schweiz-Modell kartographiert:

> Die Erosion der Alpen ist so weit fortgeschritten, daß das landschaftliche *Bild* der *Heimat*, seit es durch *Photographie überliefert* ist, sich *nicht verändert* hat.

Dagegen informiert ein ausführliches Exzerpt über die "Metamorphose (griech., Verwandlung, Umgestaltung)", und in warnendem Kontrast wird das Geschichtsgesetz der wiederkehrenden Kriege dargestellt; schließlich mahnt das "Kohärenzprinzip: Grundsatz von dem Zusammenhang alles Seienden" jedermann an die Pflicht zur aktiven Veränderung, wenn man nicht passiv dem Katastrophen-Geschick ausgeliefert sein wolle.
Tatsächlich spielt sich die erdgeschichtliche Gegenwart ja im Holozän ab, während die biologische Gattung "Mensch" bereits früher im Pleistozän, der Altsteinzeit, aufgetaucht war, wie Herrn Geisers Lexikon korrekt vermerkt (S. 28, vgl. S. 103). Das leitmotivisch wiederkehrende Versprechen des Titels beschwört also doch futurisch die Hoffnung auf einen "Anfang", eine künftige "neue Welt". Zwar können heute nur "Romane einer mäßigen Zuversicht" geschrieben werden, weil die Hauptfigur – "der neue Mensch" – vorerst nicht auftritt. Die Schreibenden verfallen selbst dem Sprachzwang als Naturzwang, und sogar ihre Prophezeihungen sind zugleich richtig und von der existenziellen Schreibsituation erzeugt. So lautet weiterhin das ethische Leitwort der Schriftstellerexistenz in Frischs Spätwerk: "brav" – im Sinne Thomas Manns, tapfer in den kleinen "Forderungen des Tages" statt in der pathetischen Aufbruchsgebärde zur Landnahme im Utopischen[245]. Herr Geiser erfüllt dies, wenngleich er ebensowenig wie einst die anarchistischen Lebensreformer vom 'Monte Verità' oder die führenden Ausbrecherfiguren Frischs (s.o. S. 79 u. 141 f.) die 'Wahrheit' zu erreichen vermag.

XIV. Unschuld und Geschichtsverlust: "Blaubart"

Beiläufig erfährt man in Max Frischs jüngster Erzählung "Blaubart", das Ehepaar Schaad habe einmal in einem seither abgerissenen "Jugendstilhaus" (S. 58) gewohnt, und bei ehelichen Streitigkeiten habe der Gatte ab und zu auch zornig eine Tasse an die Wand geschleudert. Solcher Jähzorn interessiert das *Gericht*.

Denn der Angeklagte Dr. Schaad, von seinem Autor ironisch auf den Vornamen "Felix" getauft, obschon er den Schaden davontragen wird, soll seine frühere sechste Gattin Rosalind, geb. Zogg, erdrosselt haben, und zwar, wie der Staatsanwalt vermutet, in einem Rückfall wütender Eifersucht – wenngleich Rosalind nach der Scheidung dem Angeklagten nicht mehr als nymphomanische Dirne, sondern endlich als "Kamerad" (S. 29) erschienen war. Freilich verhalten sich die Wirklichkeit und ihre Deutung hier geradezu spiegelverkehrt, denn die gutbürgerliche Ehefrau Rosalind verdiente sich später ihren Lebensunterhalt als Prostituierte für die besseren Kreise Zürichs. Die Presse und eine teilnehmende 'Öffentlichkeit' kosten denn auch diesen Prozeß gegen den Gatten von sieben Frauen – kein "Blaubart" freilich, sondern gesetzlich Geschiedener und Unterhaltspflichtiger – weidlich aus, und als das Gerichtsverfahren mit einem Freispruch endet, setzt sich der Prozeß in der Erinnerung des von Freunden wie Patienten gemiedenen Felix Schaad fort, ja er beginnt recht eigentlich, weil nun auch Personen in den Zeugenstand berufen werden, die der Staatsanwalt nicht befragt hatte; die Erzählung ist das dialogische Protokoll dieses inneren Gerichtsverfahrens.

Erzählt wird in der nach dem Fehlschlag in KLIMA und nach dem Verzicht in DER MENSCH ERSCHEINT IM HOLOZÄN nun endlich gemeisterten Form der Sie-Anrede; die Anonymität der wechselnden Frage-Instanzen drückt letztlich die diffusen Schuldgefühle des Angeklagten aus und verstärkt sie. Diese insistierenden Fragen sind gleichsam die Sonde, die der Internist Schaad nun auch auf sein Seelenleben ansetzt; einer geradezu masochistischen Gewalttätigkeit dient das Selbstverhör. Er liefert sich dem vorweggenommenen Urteil der Anderen, einer 'Öffentlichkeit innen', aus. Zuletzt hört der Sich-selbst-Verdächtige noch die Aussagen des toten Vaters sowie der toten Mutter und fühlt sich dem zwingenden 'Schweigen' des Opfers konfrontiert. Und allmählich gerät er, wie seine Kugel beim Billardspiel, in eine "aussichtslose Lage" (S. 60) – die einzig mögliche für den Mann im Werk von Max Frisch.

Denn mag der Leser auch so versteckte Anspielungen übersehen wie die auf jene kitschige Jugendstilvilla, die Stiller als das "Haus seines Lebens" entdeckte und wo die schöne Julika, infolge ihrer Ehe mit Stiller, unheilbar lungenkrank wurde; und mag ihn jenes "Täßlein", daß der gehörnte Ehemann Rolf im selben Roman an die Wand geschmettert haben soll, vielleicht nichts weiter angehen – so wird doch niemand bezweifeln, daß Frisch eine Vielzahl seiner bekannten Themen und Motive, freilich in äußerster, esoterischer Kürze wieder aufnimmt, ja daß die Erzählung aus fast nichts anderem besteht als aus solchen Reminiszenzen und Stilzitaten; die späten Werke Frischs sind wohl allesamt montiert aus den Elementen der früheren, doch hier werden selbst die kleinen Requisiten – wie jenes vielbesprochene "Täßchen" – aus dem Fundus hervorgekramt. Stiller selbst hatte in der Jugendstilvilla einst das Raumbild seines künstlerischen Unvermögens entdeckt; seine schöne Julika hätte er, dem es am "Talent zur Tat" wie an dem zur Schöpfung des Schönen mangelte, am liebsten erwürgt[246]. Don Juan nahm die Frau als "Hure", bis er – zu spät – den "Kamerad" in ihr entdeckte; eine "Damenbinde" als Mordinstrument zu benutzen, wäre eines "homo faber", der sich vor schmutzigem Tropenwasser sogleich "Monatsblut" assoziiert, durchaus würdig; Philip Hotz, der impotente Intellektuelle, hält seiner Gattin endlose Vorträge, wie auch Felix Schaad seine Theorie über die Ehe "nicht verschweigen" kann[247]; im Bilde des "Gerichts" wird seit Frischs Anfängen als Romancier just das Verhältnis von Mann und Frau begriffen (s.o. S. 22f.), als ein Prozeß, den der Angeklagte in jenem Erstlingswerk einmal für sich entschied, während danach das männliche Schuldbewußtsein immer nur bestätigt wird; und der Mord an einer Prostituierten gehört schließlich zum Repertoire des GANTENBEIN, gleich dem dort erstmals als "Verhör"[248] gebotenen Gerichtsauftritt und der Irrelevanz jenes Teils einer Intellektuellen-Biographie, der "nicht bloß aus Ehe" besteht: "vierjährige Tätigkeit im Gemeinderat [...], öffentlicher Kampf gegen die Verschmutzung unserer Seen [...], tägliche Arbeit"[249]. Frischs Spätwerk begreift ja die Unfähigkeit, Privates mit Öffentlichem zu vermitteln in der Unfähigkeit des Mannes zur liebenden Kommunikation mit der Frau. So wird denn auch die letzte Szene des TRIPTYCHON zitiert, und Felix Schaad erwägt den Selbstmord, als auf alle dringlichen Fragen im nachhinein das "Opfer" nur lächelnd schweigt – übrigens, da "Bilder" im Fotoalbum aufgeschlagen werden, zugleich ein Zitat von Fabers letztem Wiedersehen mit Sabeth in Urlaubsbildern; – und eine, über das Modell des zeitversetzten Dialogs im TRIPTYCHON vermittelte, Anspielung und Fortführung der esoterischen Zitatfolge aus Ingeborg Bachmanns Werk; in Blaubarts Burg kommt der Entwurf einer weiblichen Schöpfungsgeschichte an sein Ende[250]:

> Sie sah nicht Mara und das Zimmer, in dem sie war, sondern ihr letztes geheimes Zimmer, das sie jetzt für immer abschließen mußte. In diesem Zimmer wehte es, das Lilienbanner, da waren die Wände weiß, und aufgepflanzt war dieses Banner. Tot war der Mann Franz und tot der Mann Milan, tot ein Luis, tot alle sieben, die sie über sich atmen gespürt hatte. [...] Mara würde nicht erfahren, nie erfahren dürfen, was ein Zimmer mit Toten war und unter welchem Zeichen sie getötet worden waren. In diesem Zimmer ging sie allein um, geisterte um ihre Geister. Sie

liebte ihre Toten und kam sie heimlich wiedersehen. Im Gebälk knisterte es, die Zimmerdecke drohte einzustürzen im heulenden Morgenwind, der das Dach zerzauste. Den Schlüssel zu dem Zimmer, das wußte sie noch, trug sie unter dem Hemd . . . Sie träumte, aber sie schlief noch nicht. Nie sollte Mara fragen dürfen danach, oder auch sie würde unter den Toten sein. –
Ich bin tot, sagte Mara. Ich kann nicht mehr. Tot, so tot bin ich.

Max Frisch läßt in seiner *Blaubart*-Erzählung den komplementären männlichen Erlösungsmythos scheitern. Er stiftet ein "Monument des Männerwahns".
In der Ehe zwischen Stiller und der schönen Julika ging es immer darum, wer wen ans 'Kreuz' schlägt; und gleich Stillers soll die Selbstannahme Schaads sich aus der Konfrontation mit den Eltern ergeben. Seine Hoffnung, derart seine zerbrochene Identität zu reparieren, scheitert; Frisch verschlüsselt: ein 'Unglück' (s. o.) mit dem 'Wagen', ein 'Garagist' (– "fürs Innenleben", laut STILLER[251]) als möglicher 'Zeuge', der nicht entlasten kann; ein 'Kreuz', das vom 'Grab' der 'Eltern' aus zu sehen, an ein 'Pannenkreuz' gemahnt – eine solche Massierung poetischer Vokabeln suggeriert wohl jedem Eingeweihten den Schluß, nun müsse der 'Spieler' Schaad seine Bedingtheit als Glied der Generationenkette einsehen und sich in der Schuldannahme retten, vor allem, weil in einer früheren Erzählung Dürrenmatts, der als Zeuge Neuburger verkleidet an dem Prozeß gegen Schaad teilnimmt[252], eben die *Panne* mit dem Vehikel der bürgerlichen Identität zur Erkenntnis und Sühne einer alltäglich-mörderischen Schuld geführt hatte. Natürlich geht diese Rechnung nicht auf.
Schaad gehört in die Reihe der 'Spieler', die vom Subjekt zum Objekt ihres Spiels werden, und der betrogenen Betrüger, gerade noch verwandt mit dem Hochstapler gleichen Vornamens bei Thomas Mann. Neben der Bachmannschen Erzählung hat sicherlich die, eben im Suhrkamp Verlag publizierte, *Blaubart*-Erzählung von Anatole France die Version Frischs

angeregt, denn dort war jenes beliebte stoffparodistische Verfahren, das er dem WILHELM TELL angedeihen ließ, schon Perraults Märchenfigur zuteil geworden: "Blaubart" war gar kein Blaubart, sondern ein von seinen vielen Frauen weidlich geplagter Mann, der überdies durch unglückliche Zufälle in seinen legendarisch-schlechten Ruf gerät. Über den Gag hinaus geht Frisch, sobald er – wie im DON JUAN – die Entstehung der Legende untersucht und rechtfertigt,
(1) aus dem negativ fixierten Kampf gegen sie, oder
(2) wie stets im Spätwerk, aus der geschichtsbildend-blinden Macht der Sprache selbst. Die Sprache ist das übermächtige Archiv vergangener Diskurse. Bouvard und Pecuchet, in Flauberts letztem Roman die schrulligen Titelhelden, die Frisch inspirierten (s. o.), sind nicht bloß die Verkörperung der Rolle des Schriftstellers, sondern jedes Sprechenden heute. All ihre Versuche, die Schrift ins Leben zu übersetzen und die Fülle des Gelesenen praktisch zu machen, enden kläglich, bis sie zuletzt, ruiniert, sich auf die anwendungsfreie Kopie des Vorgeschriebenen beschränken. Sie entwickeln sich zu "Puppen" der Sprache (s. o. S. 82).
Sobald Felix Schaad meint, seine Schuld zu begreifen und sein "Kreuz" tragen zu können[253], indem er den Mord an Rosalinde Zoog, den er sich nur metaphorisch vorwirft, tatsächlich auf sich nimmt, setzt er ein schriftliches "Geständnis" auf; seine Intention ist also, anders als in Stillers "Protokollen" und in Fabers nachträglichem "Bericht", nicht die Leugnung, sondern die Forcierung des Verdachts zur Wahrheit. Jedoch gelingt dem Schreibenden noch immer nicht, was schon dem Handelnden versagt blieb: die Annahme der Schuld. Er bleibt "Felix ohne Praxis" (S. 148).
Der wahre "Täter" nämlich "ist ein griechischer Student, heißt Nikos Grammaticos und befindet sich zur Zeit im Bezirksgefängnis" (S. 172). Dieser Vorname bedeutet 'Sieg' (s. o. S. 24) und eingangs hatte eine Erzählpartikel verheißen: "Jesus ist Sieger" (S. 15). Doch die 'Wahrheit' seiner *ganzen* Existenz, deren Inbild 'Christus' ist, kann Schaad nicht aus-

drücken, da er ja 'eifersüchtig' ist und demnach an einem "Zerwürfnis mit dem eigenen Körper" (St 460) leidet. So wird ihm – wie dem 'blinden Seher' Gantenbein – das Wahre nur durch ein technisches Medium offenbart[254]. Deshalb gehört der 'Sieg' zuletzt dem Medium der 'falschen Vermittlung' par excellence. Denn der Nachname des Täters enthüllt, daß die von der Grammatik geregelte Sprache siegreich blieb und daß der 'Spieler' Felix Schaad die Regeln, deren Objekt er ist, nicht zu 'verändern' vermag; sie werden von der richtenden Öffentlichkeit diktiert, deren Instrument die Sprache ist. Schaad weiß zwar, daß er den Tod der Frau – wie alle Frisch-Protagonisten zuvor – veranlaßt hat, aber im öffentlichen Kommunikationsraum gelingt es ihm nicht, dies in den formulierbaren Rang einer sittlich-freien Handlung zu erheben. Das Urteil wie die Tat entziehen sich letztlich seiner Verfügung. Der 'Mord an der Frau' ist hier Motiv und Kommentar des Motivs in einem; denn am erzählten Motiv enthüllt sich die Kommunikationsunfähigkeit des Mannes, und deren Chiffre ist zugleich auf der metaphorischen Ebene das "Mörderische". Dieser Zirkel macht die Misere der Intellektuellen-Figuren aus. Ihre "uneigentlichen" Worte handeln für sie. Im TRIPTYCHON, in DER MENSCH ERSCHEINT IM HOLOZÄN, in BLAUBART – doch ebenso im TAGEBUCH 1966–1971 und in MONTAUK – schiebt sich ein Medium zwischen Ich und "Frau Welt"; einmal in literarischen Zitaten oder Dokumenten eines toten Wissens formal angedeutet, einmal im Zeitungsmotiv verdeutlicht, hier wie in MONTAUK verkörpert in einer Figur, die als Vermittler – die "übliche Kamera-Fee"[255] – oder eben mit einem sprechenden Namen so ausgewiesen wird; in ANDORRA kam die tödliche Vollstreckungsmechanik solcher Sprache ja sogar verkörpert – in Gestalt der "Schwarzen" – auf die Bewußtseinsbühne. Dies Medium ist objektiv und daher unempfindlich für jedes subjektive Bedenken. So vereinfacht sich im handelnden Unschuldsfanatismus des Terroristen (am Motiv der "weißen Lilie" kenntlich) die innerliche Schuld-Dialektik von eifersüchtiger Weltangst und blinder Aggression, die sich – wie bei Hannes Kürmann – in "verjährten Bubenspielen" (S. 31) einst als psychisches Grundmuster kundtat. Der, von einem verschwommenen Schuldbewußtsein gequälte geistige Mann jedenfalls ist der ewige Verlierer, bleibt düpiert zurück und wird auch durch ein wohlformuliertes Geständnis nicht Herr seines "Verfolgungswahns". "Sie haben Schmerzen", lautet der letzte Satz der anonymen, strengen Erzählerinstanz, und das ist zugleich das Urteil über Felix Schaad, eine weitere Inkarnation der spielerischen Imagination in ihrem hoffnungslosen Kampf gegen Sprache und Welt.

XV. Schlußbemerkung: "In Blaubarts Burg" – Zur Mythenbildung in der Literatur der Gegenwart

Max Frisch hat sich mit seiner letzten Erzählung wohl bewußt – denn er nimmt ja Teil an der "Suhrkamp Kultur" – "in Blaubarts Burg" begeben; tatsächlich mochte ihm Georg Steiners, 1971 erschienenes, im folgenden Jahr ins Programm von Frischs Stammverlag aufgenommenes Buch einen Schlüssel zur poetischen Hermetik seines Spätwerks anbieten. "Der Hermetizismus als Strategie des Unverständlichen", so erläutert Steiner, "ist die trauervoll hochmütige Reaktion auf den Verfall aller natürlichen Bildung"[256].
Die mythenbildende Epoche der Moderne hebt mit der Romantik an und die Romantiker führten denn auch die vermittelnde Hermes-Gestalt in die Literatur zurück, da sie die Entfremdung der Literatur vom Leben, des Autors vom Publikum als Signatur der Moderne erkannten und erlitten; freilich wollten sie sich mit der "hermetischen" Esoterik ebensowenig begnügen wie ihre Nachfolger bis hin zu Max Frisch und der "Neuen Subjektivität". Nicht die "alte" Mythologie sollte – wie noch bei den "Klassizisten" – wiederbelebt, sondern eine "neue" geschaffen werden; statt um den mythologischen Stoff bemühte man sich um das Konstruktionsprinzip der Mythisierung, und damit ist unser Augenmerk auf dessen, sozial-psychologisch einsichtige Funktion gelenkt. Mythisierung heißt Sinnverleihung: Im Mythos als Anschauungsform treten die kontingenten Fakten in einen sinnvollen Zusammenhang, gebiert gleichsam das Chaos der Welt aus sich heraus die schöne Form ('Schönheit' wollen wir dabei nüchtern als Ordnungsgestalt verstehen)[257]. Die Gegenstandswelt muß dazu freilich unter die Deutungsperspek-

tive eines zentralen Ichs rücken. Die dem Verständnis widerständige und doch darauf angelegte Mythisierung stellt für das weltverarbeitende Ich eine lohnende Aufgabe dar, deren Lösung – symbolisch stellvertretend für tatsächliche Weltbewältigung – befriedigend ist. Esoterik gehört damit zu ihrem Begriff, und das Verstehen des (anscheinend) Unverständlichen wird zum Modus symbolischer Initiation. Die Literatur ist deren Medium.

Die literarische Produktion der siebziger Jahre steht in einer bemerkenswerten Ambivalenz zwischen mythisierender (und mythologischer) Verrätselung, die auf Eingeweihte zielt, und allgemein-menschlicher Personalisierung, die in der – für jeden nachvollziehbaren – literarisierten Alltagserfahrung eine "neue Subjektivität" begründen will. In der "Dichter"-Literatur, essayistischen Romanen über Büchner, Hölderlin oder Kleist, und in der "Eltern"-Literatur manifestiert sich die Konsequenz des Modells in zwei scheinbar auseinanderstrebenden Tendenzen. Tatsächlich präsentiert sich die erste als die Lösung jenes (latenten) Dilemmas der zweiten[258]; denn *eine* Subjektivität für jedermann bleibt paradox, und so behaupten Autoren wie Peter Handke, Botho Strauß, Uwe Johnson und Max Frisch in der bewußten Esoterik ihrer Werke das Geheimnis, das zu jeder Person gehört – und gleichzeitig den Initiationszirkel, in dem sich, seit der romantischen Literaturrevolte, "Modernität" definiert.

Isoliert steht Max Frischs Spätwerk keineswegs. Wie er den esoterischen Dialog mit Ingeborg Bachmanns Werk suchte, so antworten andere Autoren auf das seine; finden sich in seinem TAGEBUCH "Porträts" auch von Günter Grass und Uwe Johnson, so begibt dieser sich, wiederum mit demselben Prinzip der Zitatintegration, auf die Spurensuche des "Bachmann-Mythos" mit einer *Reise nach Klagenfurt*, und seine *Skizze eines Verunglückten* ist eine, subtil aus Frischs-Reminiszenzen montierte, Antwort auf die SKIZZE EINES UNGLÜCKS[259]. Nachzeichnungen einer literarischen Figur 'Max Frisch' werden, nach dem Vorgang Adolf Muschgs in

Baiyun, nachgerade modisch, und der esoterische Bezug auf Schlüsselworte seines Werkes ist bei einer Autorin wie Christa Wolf ebenso selbstverständlich wie bei der jüngeren Schriftstellergeneration in der Schweiz. Gewiß läßt sich dies Netz von Anspielungen und Verweisen in der Gegenwartsliteratur nicht auf Frischs Werk allein hin zentrieren – man denke nur an den Schlüsselroman der Gruppe 47, *Das Treffen in Telgte*, von Günter Grass; vielmehr ist das Spekturm breit, umfaßt lebende wie die 'heute noch lebendigen' Autoren, Leitfiguren des Männlichen wie der Weiblichkeit, der Revolte, der Krankheit, des Wahnsinns – so daß die einheitsstiftende Kraft der Selbstverständigung durch Mythisierung kaum noch *eine* Kultur, eher eine pluralistische Medienlandschaft erzeugt, in der sich initiierte Zirkel je nach 'Code' zusammenschließen. Damit aber verwandelt sich die allgemeine Sprache in ein historisches "Archiv", das alles enthält und von keinem bewältigt werden kann, und übermächtigt als nur scheinbares Produktions*mittel* jeden Produzenten: Diese Auffassung poetischer "Schrift" prägt ja, nach dem Bankrott der Schöpfungsästhetik im GANTENBEIN, Frischs Spätwerk seit MONTAUK, und auch die essayistische Formulierung dieses Erzählproblems bei Botho Strauß haben wir bereits kennengelernt. Das "Recycling" des personal gebundenen Werkes ins Anonym-Öffentliche hat in unserer Medienzivilisation ein Tempo erreicht, das sich im Entwurfsstadium der Moderne nicht einmal ahnen ließ. George Steiner konstatiert deshalb heute, da allmählich "die Hauptmasse unserer Literatur und verinnerlichten Geschichte" ins "Museum" verwiesen wird, das Ende der Moderne und das Einsetzen einer "Nachkultur".

In romantischer Programmatik, etwa bei dem, von Frisch seit langem, heute allgemein hochgeschätzten Novalis[260], führt der Dichter im poetischen Sprechen das "goldene Zeitalter" herauf, und die ästhetische Revolution soll das Freiheitswerk der politischen vollenden und die Geschichte ans Ziel bringen; solche Prophetie müsse jetzt "unverständlich" formuliert sein, damit sich in ihrem Zeichen die wenigen "Verständigen" schon in der "Morgenröte" der neuen Zeit sammeln könnten. Im Werk Samuel Becketts sind die Endstufen dieses Anfangs erreicht und die romantischen Mythologeme erschöpft: Statt der "Morgenröte" herrscht "Endzeit", die aggressive Poetik der Provokation dient defensiv dazu, gerade noch das "Geheimnis" der Poesie zu wahren, die ausgreifenden Spielformen der Phantasie sind zu Kryptogrammen reduziert, der Schöpfer und Künstler-Gott ist abwesend, und das Prinzip der Personalität löst sich auf in Strukturen: "Unter diesen Dingen (zu denen der eigene Körper zählt,) lebend, streben Becketts Figuren nach einer Geistesverfassung, in der Objektivität von Dingen und Personen kein Problem mehr ist"; sie wollen in die unpersönliche Sprache an sich eingehen[261].

Uwe Johnsons Rat, "man müsse die Werke von Beckett [...] einbeziehen und dürfe nicht hinter die Erfahrung, die diese Werke enthalten, zurückfallen", hat Max Frisch beherzigt; das "Beckett"-Motiv rückt – in der Reflexion MONTAUKS, in den Clochard-Szenen des TRIPTYCHON – ins literarische Repertoire des Spätwerks ein. Doch ist dies keine ästhetische Orientierung und Entscheidung. Das "Endspiel" der Apokalypse resultiert für Frisch aus Machtpolitik; die Greuel hinter der letzten Tür "in Blaubarts Burg" sind in der Geschichte unseres Jahrhunderts verzeichnet, und angesichts dieser 'Schrecken' wird die Welt 'unwirklich', die Sprache untauglich, die Literatur ohne Möglichkeit echter Überlieferung auf eine 'tote' Tradition verpflichtet. Solche Thesen wirken, wenn wir sie bei George Steiner lesen, wie die essayistische Folgerung aus der Motivsprache Frischs, zumal der Kritiker die Gedächtnislosigkeit angesichts des Grauens noch in den Utopie-Kontext von geistig strengem Bilderverbot – als Chiffre der Absenz Gottes – und Erlösungsversprechen stellt. Erschöpft von ihren eigenen Ansprüchen und Freveln hält unsere Kultur nunmehr "an einem Punkte [...], wo die Modelle vorangegangener Kulturen und Ereignisse uns kaum

noch vonnutzen sind" (S. 152) und trotzdem, ja sogar deshalb reproduziert werden – in kulturell beflissener Vergeßlichkeit. Seit dem Nachkriegstagebuch hatte Frisch diese Reproduktion des Musealen erfahren und befürchtet[262]; als Werkprämisse akzeptiert hat er sie erst im Spätwerk, als er sich selbst "historisch geworden" war.
Dic 'Erfahrung' der Esoterik, Historisierung und Mythisierung treibt die ebenso radikal imaginierte Utopie hervor; jüngere Autoren wie Peter Handke fordern, bedrängt vom "Anwachsen theoretischen Wissens", "eine neue Omnipotenz" des poetischen Daseins; wo sich im magischen "Licht" der Poesie einst "die Welt in eine Vision" verwandelt, fügt sich die verwirrende Komplexität einem Sinn, herrscht eine neue Einfachheit, ereignet sich die Erlösung, tritt der "neue Mensch" auf. Vom romantischen Programm unterscheidet sich dies im Ansatz an einer, durch die alten und neuen Medien schon halbliterarisierten Lebens-"Wirklichkeit" und in der technologischen Synthese aller Künste. Max Frisch formuliert, skeptisch und dennoch nicht zur Resignation bereit, die "Omnipräsenz" des Historischen im "endzeitlichen" Spiel seines Spätwerks und bezieht, damit über Beckett hinausgehend, die utopische "Omnipotenz" des schöpferischen Geistes ein – im Zitat. Ob das arrangierte 'tote' Material in einer neuen "Beleuchtung" als Syntheseplan der Schöpfung erscheinen könnte, überläßt er seinen Lesern zu entscheiden.

Anmerkungen

1 G Arn S. 44; vgl. Tb I 376.

2 Vgl. die Debatte zwischen Günter Blöcker u. Hans Schwab-Felisch im *Merkur* (29, 1975, S. 1179ff.). Als Tendenz etwa bei: H. F. Nöhbauer, "Ein Autor stellt sich aus. Max Frisch liefert mit seiner Erzählung 'Montauk' Intimstes für die Bestsellerliste", *Bücherkommentare* 6, 1975.

3 So etwa Helmut M. Müller, *Die literarische Republik. Westdeutsche Schriftsteller und die Politik*, Weinheim: Beltz 1982, S. 266.

4 Vgl. die kenntnisreiche Übersicht zur Rezeption bei Hans Bänziger, *Zwischen Protest und Traditionsbewußtsein*, Bern: Francke 1975, S. 94ff., sowie de Vin S. 93ff.

5 G Zimmer.

6 Vgl. meinen ANDORRA-Aufs. S. 115–123, sowie die literarhistorische Ergänzung des Forschungsstandes bei Elm.

7 Max Frisch in einem Brief an das Lektorat des Suhrkamp Verlages v. 10. 1. 1961, zit. n. Mb An S. 53.

8 Büchner S. 47, hier nach GW IV, S. 236.

9 Vgl. MFW S. 110–112 über Frischs Rollenbegriff; außerdem Hanhart.

10 Vgl. meinen ANDORRA-Aufs. S. 126ff.

11 So vor allem im STILLER, wo der Traum vom versagenden "Gewehr" den Protagonisten peinigt: "ich brauche dir nicht zu sagen, was das heißt, es ist der typische Traum der Impotenz." (S. 617) Zum 'Pferd' vgl. v. a. das 5. Bild des GRAF ÖDERLAND.

12 Vgl. H. Naumann, "Rilkes Einfluß auf Frischs 'Stiller'", *Wirkendes Wort* 31, 1981, S. 133–151; im übrigen MFW, bes. zu SANTA CRUZ, STILLER und HOMO FABER.

13 G Bienek S. 26f.; dazu Schröder S. 33f.

14 Benn, GW II, S. 1135, zuvor S. 1130, dann S. 1119. Die Belege zu Goethes Selbstaussage in: *Lexikon der Goethe-Zitate*, hg. v. R. Dobel, Zürich: Artemis 1968, Sp. 399; Frisch kennt wohl die Stelle in den *Maximen und Reflexionen*, die er schon Tb I 543 erwähnt.

15 ICH SCHREIBE FÜR LESER, GW V, S. 326; vorige Formulierung von Uwe Johnson, dessen Freundschaft mit Frisch in die römischen Jahre zurückreichte, vgl. meine Mon. S. 17. Zum Werkhorizont des Neuansatzes vgl. Hanhart u. Geisser, sowie Markus Werner, *Bilder des Endgültigen, Entwürfe des Möglichen*, Bern: Lang 1975. Das Unbehagen am Imperfekt hat Schenker (z.B. S. 58) als Rückkehr zur spontanen

Mundart, die diese Zeitform nicht kennt, deuten wollen, vgl. G Bloch/ Schoch. Eine treffende, allgemeine Charakteristik von Frischs Spätstil gibt von Matt, Hadesfahrten, S. 600; Frisch selbst hat einmal die (esoterische) Wort-Montage und -Collage als sein spätes Stilideal bezeichnet (G Waser); demgemäß wurde das TRIPTYCHON zunächst im Deutschlandfunk als Hörspiel (am Ostersonntag 1979) unter der Regie des Lyrikers Jürgen Becker "uraufgeführt".

16 Dazu vor allem MFW.

17 Tb II, S. 103. Zur Entstehungsgeschichte von BIOGRAFIE vgl. GW V, S. 588f.

18 Bio S. 494; vgl. W. Pache, "Pirandellos Urenkel. Formen des Spiels bei Max Frisch und Tom Stoppard", *Sprachkunst* 4, 1973, S. 124–141.

19 Wegen der Kontinuität von Frischs Werk nicht unberechtigt der Ansatz bei: M. Zeller-Cambon, "Max Frischs 'Stiller' und Luigi Pirandellos 'Mattia Pascal'", in: Jurgensen (Hg.), S. 81–96.

20 So Michl Leiris, zit. nach Zeltner S. 101.

21 Vgl. GW V, S. 325: "Theorie ist bei mir immer nachträglich" – was ja bereits der Titel von NACHTRÄGLICHES ZU DON JUAN erklärte, vgl. GW III, S. 175. Dann: GW II, S. 77.

22 A.R.-G., "Vom Realismus zur Realität", in: Ders., *Agumente für einen neuen Roman*, München: Hanser 1965, S. 113; die Zeitschrift *Akzente* hatte bereits 1958 in einer Serie von Artikeln über "Der Held des Romans und die Erzählform" die Ansichten Robbe-Grillets zur Debatte gestellt.

23 Vgl. Zeltner S. 7–22; folg. Zitat: GW V, S. 327.

24 Parallelen zu dem Beitrag UNSERE GIER NACH GESCHICHTEN etwa MNG 11, 48f.

25 Vgl. Gockel S. 22f.; zur Szene "leere Wohnung" v.a. Wolfschütz S. 60–66, 264ff. Dann Tb II 12.

26 Dazu noch immer nützlich: Martin Kraft, *Studien zur Thematik von Max Frischs Roman "Mein Name sei Gantenbein*, Bern: Lang 1969, S. 33–74; vgl. Tb II 389.

27 Zit. n. Andrew White, "Max Frisch's 'Stiller' as a Novel of Alienation and the 'noveau roman'", *Arcadia* 2, 1967, S. 291; folgendes Zitat von Beckett (nach Zeltner S. 155).

28 Vgl. Tb I 715f.

29 Vgl. zu diesen Zusammenhängen White (s. Anm. 27).

30 S.o. Kap. I. Solange eine ausführliche Analyse, auch zu Hofmannsthals spätem Werk, noch fehlt, vgl. zum Folgenden: H. Schlaffer, "Exoterik und Esoterik in Goethes Romanen", *Goethe Jb* 95, 1978, S. 212–226.

31 Vgl. MFW, bes. S. 287f.

32 Eine Phänomenologie des Wechselspiels von Exoterik und Esoterik, scheinbarer Klarheit und verschlüsseltem Sinn, steht noch aus; sie müßte Goethes Spätwerk ebenso einbeziehen, wie das Werk Hofmannsthals

nach seinem Entschluß, "das Tiefe" "an der Oberfläche" zu "verstecken".

33 GW V, S. 327, zum Folgenden vgl. Lübbe, bes. S. 81–114; die Zitate aus Schapp S. 86, 119.

34 Mon 648. Vgl. auch Pivcevic.

35 Sartre greift ja wiederum, wie Frisch, auf die Lebensphilsophie zurück, vgl. etwa die analoge Konzeption des Abenteuers in seinem Roman *Der Ekel* (Reinbek: Rowohlt 1963, S. 43ff.) u. bei G. Simmel, *Philosophische Kultur*, Leipzig: Werner Klinkhardt 1911, S. 11–28.

36 Musil S. 650.

37 MNG S. 88: Frischs Musil-Lektüre nach dem STILLER ist belegt, vgl. Mb St 341.

38 Vgl. die Interpretation in MFW S. 222 u. ö.

39 Vgl. G. Cunliffe, "Die Kunst, ohne Geschichte abzuschwimmen. Existenzialistisches Strukturprinzip in 'Stiller', 'Homo faber' und 'Mein Name sei Gantenbein'", in: Knapp (Hg.), Prosawerk S. 103–122.

40 Frühwald/Schmitz S. 41.

41 Vgl. G Bloch/Schoch und die Nachweise bei Schenker S. 58 u. ö., Frühwald/Schmitz S. 151 f.

42 Die angenommene Schuld schafft, seit der Neufassung der CHINESISCHEN MAUER von 1955, erst eine echte "Geschichte"; wer die "Schuld" nicht annimmt, verstrickt sich bewußtlos in immer tiefere Verschuldung. Daher insistiert Frisch in der Debatte um die "Unbewältigte schweizerische Vergangenheit", kurz nach Publikation des GANTENBEIN, auf der Realität der Schuld, vgl. die Nachweise FdT 383. – Folgende Musil-Zitate S. 16f.

43 Schöne S. 296; vgl. Wolfschütz S. 277f. u. 280f.

44 Wolfschütz S. 395, zuvor Schöne S. 304.

45 Vgl. MNG 59 u. bes. S. 66. Unten vgl.: Linda J. Stine, "Chinesische Träumerei – amerikanisches Märchen: Märchenelemente in 'Bin' und 'Stiller'", in: Knapp, Prosawerk S. 37–57.

46 Vgl. von Wiese S. 202, zuvor *Felix Krull* S. 271; dann die Zitate nach von Wiese 193, 195.

47 Vgl. W. Seifert, "Die pikarische Tradition im deutschen Roman der Gegenwart", in: M. Durzak (Hg.), *Die deutsche Literatur der Gegenwart*, Stuttgart: Reclam 1971, S. 192–210. Enderlins Vorname MNG 139, Gantenbeins S. 44, dazu Gockel S. 56f.: insges. Wolfschütz S. 297. – Frantisek Svoboda, die Figur ohne Distanz, erhält einen typisierenden Namen, bei dem die thematische Übereinstimmung der beiden Teile – analog zu dem bekannten Beispiel Thomas Manns: "Hans Hansen" (gegen "Tonio Kröger") – auffällt.

48 MNG 49; vgl. bes. S. 34f. über Gantenbeins gute Chancen für eine politische Karriere; zum Thema "Seher" und "Schelm" vgl. Kraft (s. Anm. 26) S. 53–61, u. Rothenberg.

49 Vgl. Rothenberg u. Sandt S. 225–320 über den *Zauberberg* als hermetischen Roman.
50 Zur Deutung vgl. v.a. Gockel u. Wolfschütz, der S. 412–420 auch ein nützliches Register von Motiven und Strukturzügen des Romans bietet.
51 Wolfschütz S. 113, dann S. 347; zuvor Mon 709, sowie Wolfschütz S. 342f. In der Rahmenszene vor allem drei Anspielungsgruppen: 1) auf "Rip van Winkle" („Schluchten", "Räuchlein"); 2) auf White ("Glatze"); 3) auf Goethe/Th. Mann ("ein Mann von fünfzig Jahren") – insgesamt sucht also Frisch die Rückbindung an den STILLER.
52 MNG 12; alle bis Anm. 55 folgenden Zitate aus der Szene S. 12–18.
53 Vorabgedruckt im *Jahresring 61/62*, Stuttgart: DVA 1961, S. 206–209; Zitate MNG 127.
54 MNG 18; der Lauf des nackten Mannes durch Zürich ist eine Reminiszenz an den, 1942 von Frisch rezensierten Roman von Albert J. Welti, *Wenn Puritaner jung sind*, vgl. MFW S. 245f.
55 Wolfschütz S. 84.
56 Vgl. ebd. S. 163–180, sowie Michel.
57 Vgl. dazu MNG 235; dann Gockel S. 51f., Zitat oben: Wolfschütz S. 308.
58 MNG 24; Wolfschütz S. 201f., 251f. erkennt die "poetische Vokabel" Auto; ebd. das folgende Zitat. – Vgl. weiter St 566, HOTZ (GW IV), S. 422, MNG 177 jeweils die Vokabel "Erzweib". Gantenbein folgt natürlich Frischs Don Juan (statt dem Don Giovanni); vgl. dort den Namen "Miranda", dazu unsere Zitate MNG 209, 108, sowie als Beleg MNG 192.
59 Tb I 363, vgl. ebd. den Motivkomplex des Hellsehens, der im Bewußtseinstheater des GRAF ÖDERLAND fortgeführt wird.
60 Vgl. zur gesamten Problematik im DON JUAN, MFW 232ff. Hier MNG 85: "Lila ist eins mit der Welt" – aus der sich Gantenbein ausschließt. Dann MNG 106, 44; vgl. S. 27: Als Gantenbein die Brille aufsetzt, erscheint das "Fräulein in Weiß" (also der Farbe der geschichtslosen "Un-Schuld") plötzlich "grau wie Asche, lilagrau" – wobei 'Asche der Erfahrung' ja eine poetische Vokabel Frischs ist; dann: "keine Tür ins Freie – sondern ein Spiegel" – daß bes. die Leitmotivik des Unpolitischen in diesem Roman, z.B. S. 68, 120, 175 u.ö., zu diesem befangenen Dasein Gantenbeins gehört, hat man meist übersehen.
61 Vgl. MNG 94, zur These Gockel S. 50, sowie MNG 27.
62 Vgl. MNG 105; folgendes Zitat GW V, S. 333, dann aus der Kleiderkaufszene MNG 91–95.
63 Vgl. auch den Namen in Bl, "Nikos Grammaticos", s.u.
64 Vgl. S. 289–292.
65 MNG 21, Zitat aus Büchners *Dantons Tod* S. 34.

66 MNG 146; vgl. Gockel S. 105 den Quellennachweis. Folgende Zitate MNG 140, 145; ähnliche Ästhetisierung der Krankheit in den *Zauberberg*-Szenen des STILLER (S. 465).
67 Th. Mann, *Zauberberg* S. 706, zuvor aus einem Aufsatz Th. Manns GW XI, S. 596.
68 Vgl. Sandt S. 245f., zum Folgenden ebd. S. 233 u.ö., Zitat S. 234, die Hermes-Attribute S. 145. Daß Gantenbein eine Dichter-Figuration ist, belegt das Blindenmotiv, hat man doch in der Literatur der Moderne (z.B. in Eliots *Waste Land*, einer Quelle für "ÖDER-LAND") das "innere Licht" so schroff der äußeren Erkenntnis kontrastiert, daß Blindheit die Vorbedingung für dichterisches Schaffen wurde.
69 MNG S. 140.
70 Zitate S. 17f., zum "Irrenhaus" vgl. GW III, S. 55 ("Irrenhaus der Ordnung") u. MFW 42ff.; zur "Stummheit" ebd. S. 171 u.ö. (zu ChM).
71 MNG S. 161; zum Folgenden vgl. Wolfschütz S. 286–290, der allerdings den Schluß ungedeutet läßt.
72 Für den utopischen Gehalt wichtig der Wortlaut des Belegs MNG S. 190: "Liebstes [...] mein Liebstes [...] Du mein Liebstes [...] meine Lilalil."
73 Zu den früheren Erlösungsmärchen in den SCHWIERIGEN u. STILLER vgl. MFW 95 u. 275; im BIN s.o. S. 44.
74 GW IV, S. 246; aus der Rede ÖFFENTLICHKEIT ALS PARTNER auch die folgenden Zitate.
75 Vgl. MNG S. 174, dazu Manfred Beller, *Philemon und Baucis in der europäischen Literatur*, Heidelberg: Winter 1967, S. 149; dieses tritt neben das Idealpaar Ali u. Alil und das "klassische Paar" Romeo und Julia, die ohnedies nur ironisch (MNG S. 136) oder in der respektlosen Zigarrenform (MNG S. 186) zitiert werden.
76 MNG 270.
77 MNG 71, zuvor S. 156.
78 MNG 156, vgl. Gockel S. 70ff.
79 Die Berufung auf Dante ist in der Nachkriegsliteratur (Werfel, *Stern der Ungeborenen*; Hagelstange, *Ballade vom verschütteten Leben*; Koeppen, *Tod in Rom*; Peter Weiss, *Die Ermittlung*) nicht selten; daß nicht die Geliebte, sondern das 'Kind' aus der gesellschaftlichen Hölle herausführt, steht für Frisch seit seiner Orientierung an Hofmannsthal in den frühen vierziger Jahren fest: "Alles kann das Kind dir zeigen." (GW II, S. 116). Zitat zuvor MNG 271, danach 308.
80 Vgl. MNG 64: "Das Spiel ist aus", wohl eine Anspielung auf Sartres *Les jeux sont faits*. Dann MNG 312, 275; dazu S. 313 – freilich wird S. 273 darauf hingewiesen, daß auch "Justitia" 'blind' ist.
81 Diese und Frischs sprachskeptische Tradition konvergieren, da hier die Psychoanalyse pointiert als unwirkliches, aber notwendiges Gespräch aufgefaßt wird.
82 MNG S. 319; Kiernan S. 13 macht auf die Formulierung "Wind in den

Drähten" als Versöhnung von Technik und Kunst aufmerksam; ihr verdanken wir auch eine überzeugende Deutung des Schlußbildes (S. 206–210), nachdem Wolfschütz S. 338ff. bereits dessen Sonderstellung betont, Gockel, z.B. S. 141 die Fragilität der Versöhnung dargetan hatte.

83 Vgl. MFW 275ff.

84 Vgl. MFW 269, wo dies STILLER-Zitat im Kontext von Frischs Parodie-Konzept erörtert wird.

85 Vgl. Gerd Heinz-Mohr, *Lexikon der Symbole*, Düsseldorf: Diederichs 1971, s.v.; dieselben Bilder schon in NUN SINGEN SIE WIEDER von 1945. Die Formulierung vom "großen Mittag" ist bei Nietzsche, der Frisch ja nachhaltig beeinflußt hat (vgl. MFW 63f., 100ff. u.ö.), üblich.

86 Vgl. Jean Quenon, *Die Filiation der dramatischen Figuren bei Max Frisch*, Paris: Belles Lettres 1975, S. 364.

87 IN EIGENER SACHE, GW V, S. 381; vgl. MNG 129.

88 S.o. S. 13. Dazu jeweils MFW 315ff. u. 332ff. "Hang zum Sinn": GW IV, S. 235. Wie "Schicksal" sich aus scheinbaren Kleinigkeiten zusammensetzt, hatte Frisch stets an Brechts Szenen *Flucht und Elend des Dritten Reiches* bewundert, vgl. FdT 30ff., sowie seinen Beitrag in: *Die Welt* (Ausg. B, Bln West) v. 2. 9. 1978.

89 Erstaufführung: 8. 11. 1972 vom Jeune Théâtre National des Thèâtre de l'Odeon, Paris.

90 Vgl. dazu Federico, sowie S. Mayer.

91 Vgl. Schröder S. 52f. u.ö. Das Zitat: GW V, S. 579.

92 Zitat zuvor: St 791, dann GW V, S. 580, Bio 117; dazu: H. Bänziger, "Ab posse ad esse valet ... Zu einem Zitat im Spiel 'Biografie'", in: Jurgensen (Hg.), S. 11–25; zu den Daten vgl. Bradley S. 345.

93 Brecht, GW VII, S. 539f. Dann Sachsse S. 121; dazu MFW 298f. zu diesen Zusammenhängen im HOMO FABER, sowie S. 326 die Vorgaben bei Dürrenmatt.

94 Vgl. dazu Benecke/Müllers *Mittelhochdeutsches Wörterbuch*, s.v. kiuse. – Der, aus Reflexion "tatunfähige" Intellektuelle schien Frisch 1958 "schwankfähig" geworden zu sein (GW IV, S. 458). Doch schon 1932 hatte er die MINIATURKOMÖDIE der Entschlußlosigkeit vorgelegt (im *Zürcher Tagesanzeiger* v. 9. 5. 1932).

95 Dem Nachweis dieser These, die sich bereits aus der Schachmetapher ergibt (Bio 487, zuvor im DON JUAN u. HOMO FABER), widmet Profitlich seinen Aufsatz.

96 Vgl. Sachsse S. 27f. Zum Folgenden: GW IV, S. 252.

97 Wolfschütz S. 350, dann Bio 492.

98 Vgl. Benns Essays *Medizinische Krise, Zur Problematik des Dichterischen, Der Aufbau der Persönlichkeit* (S. 659), *Das Genieproblem, Fazit der Perspektiven*.

99 S. Anm. 18. In einem Brief an Otto F. Walter v. 23. 1. 1967 betont

Frisch das "Effektive bei Pirandello: der Vordergrund, das Theater ersten Grades, ist schon dramatisch, 'existenziell' interessant, so daß man Anteil nimmt, und dann noch die Quadratur durch Fiktion, die umwerfende Vertauschung von Sein und Schein". Zum dramaturgischen Kunstgriff vgl. Schmeling S. 177ff. u. 199. Das Zitat unten Pirandello S. 284. Da der Suhrkamp Verlag bereits während der Konzeption von BIOGRAFIE seine Neuausgabe von Pirandellos Stück vorlegte, sei auf einige Stellen in den dieser Ausgabe beigegebenen Materialien verwiesen, die Frisch sicher bekannt waren, und zwar Pirandellos Erklärung S. 373, die mit unserer These o. S. 69 übereinstimmt: "Ich habe ihnen [den Zuschauern] auf der Bühne meine Phantasie im Augenblick des Schaffens vorgeführt, mit Hilfe der Bühne selbst"; sowie S. 364: "Wenn einer lebt, lieber Freund, lebt er und sieht sich nicht." Die Kunst aber halte ihm einen "Spiegel" vor – was der italienische Fachausdruck "theatro del specchio" aus dieser Stelle verallgemeinert; Kürmann lernt Italienisch und übt die Vokabel "specchio" (Bio S. 575).

100 Tatsächlich hat der Versuch, personale Abhängigkeiten durch einen metaphorischen Potenz-Akt zu lösen, Tradition bei Frisch, vgl. die Schüsse in den SCHWIERIGEN (GW I, S. 583), St (s. Anm. 11), Bio 562f., und, gegen den 'Täter' gewendet: Bl 132.

101 GW V, S. 580.

102 G. – Zu Büchner, s. Anm. 8; Kierkegaard (vgl. Gockel S. 123ff. u. Michel; Belege: MNG 168, 187), der Interpret des *Don Giovanni* (in der STILLER-Quelle *Entweder-Oder*); außerdem Rilke (die "Portugiesische Nonne" MNG 254, 260) u. Claudel (MNG 171, vgl. MFW 126).

103 Kleist vgl. MNG 111ff., außerdem das kryptische Zitat des Marionettentheater-Aufsatzes S. 121: "Pose des Dornausziehers"; Lawrence vgl. 152; an Frischs Strindberg-Rezeption aus SANTA CRUZ (vgl. MFW 138) erinnert die Vaterschaftsproblematik S. 302. Dann G Arnold S. 41f.

104 Vgl. DER TRAUM DES APOTHEKERS VON LOCARNO. ERZÄHLUNGEN AUS DEM TAGEBUCH 1966–1971. BS 604. Frankfurt: Suhrkamp 1978.

105 Tb II 368. Vgl. die Thematik der "Entropie" in CHM u. Hf – dazu MFW 306f.

106 Tb II 10. Die 'Veränderung' ist etwa im STILLER das Lebensthema des Protagonisten wie die nationale Aufgabe seiner Heimat; dies ist einer der Schlüsselbegriffe, die Frischs 'essayistisch-engagiertes' mit seinem 'fiktionalen' Werk verbinden, vgl. FdT 366ff.

107 So schon in ANDORRA. Zitat unten: Pulver S. 43. Vgl. G Zimmermann S. 43: "Was die Verunsicherung betrifft, natürlich ist die Unsicherheit nicht ein Paradies-Zustand, aber sie ist das Präludium zur Kreation." Vgl. G Bloch/Bussmann S. 25.

108 ChM, 2. Fassung, S. 205; angesprochen ist hier Don Juan, also die Figuration der Verführung und des Narzißmus.

109 Vgl. Tb II 75f., 77f., 93f., 103. Zitat: S. 285.

110 Vgl. die Verhöre Tb II 64ff., 133ff., 312ff., 325ff., so wie das Urteil S. 392f.; stammte das erste TAGEBUCH von einem "Verschonten", so dieses von einem, der "vergleichsweise schuldlos" ist. Frischs Quelle hier: Lev N. Tolstoi, *Rede gegen den Krieg. Politische Flugschriften*, hg. v. Peter Urban, Frankfurt: Insel 1968. Vgl. allg.: G. Reiss, "Dramaturgie der Gewalt. Das Verhör als kommunikative Figur in der Geschichte und im Drama des 20. Jahrhunderts", in: Schönert/Richter S. 600–617, der auch auf ANDORRA und die CHINESISCHE MAUER verweist.

111 Kieser S. 170; vgl. dazu Scholz-Petri S. 176ff.

112 S. Anm. 8; die Konstellation dieser "Schicksalsfahrt", wie sie der plakative Untertitel des JÜRG REINHART verheißt, hatte Frisch zuletzt bei Fabers und Sabeths "Hochzeitsreise" (Hf 103) erprobt.

113 Tb II 225; vgl. die Hinweise FdT 362 (m. Anm. 20), sowie Eifler S. 186ff. und Scholz-Petri S. 170–174. In diesen Kontext von der Überzeugungsmacht der Medien sind die Geschichten um Kabusch (S. 263ff.) einzuordnen, der trotz aller persönlicher Qualitäten niemand überzeugt.

114 Tb II 274, 280; der Hinweis auf das dokumentarische Theater weist zurück auf die Überlegungen zur Parabel-Form seit ANDORRA und setzt die Adorno-Hochhuth-Debatte voraus, vgl. Frühwald/Schmitz S. 30f.

115 Botho Strauß, *Trilogie des Wiedersehens*, Stuttgart: Reclam 1978, S. 9; dann: Ders., *Die Widmung*, München: dtv 1980, S. 20.

116 Tb II 310. Die Schriftsteller-Porträts im TAGEBUCH skizzieren Aspekte möglichen Verhaltens: Grass als "öffentlicher" Autor (S. 302–311), Johnson als Autor, der aus dem "Gedächtnis" schafft (S. 20), vollends Canetti, der den Tod prinzipiell nicht gelten läßt (S. 59), schließlich Dürrenmatt (S. 88, 232f.) als "Souverän" des Daseins.

117 In der zweiten, für die GESAMMELTEN WERKE hergestellten Fassung folgt noch ein Abschnitt über die "Vereinigung Freitod". R. Grimm u. C. Wellauer, "Max Frisch. Mosaik eines Statikers", in: Knapp (Hg.), Prosawerk, S. 201f., nehmen diese Stelle zum Anlaß, Frisch das Fehlen einer gesellschaftsverändernden Perspektive vorzuwerfen; auf das Eingedenken an Opfer im Kampf um die gerechte Sache (z.B. die Abschnitte über Jim Moore, u. Sacco u. Vanzetti) gehen sie nicht ein. Scholz-Petri S. 159 allerdings verweist auf dieses "geistige Klima" als 'Heimat' Frischs, vgl. auch S. 198 zur "Säule".

118 Das Stichwort "brav" im *Faust* V. 3775, dann zitiert in der Schlußüberschrift im VI. Kap. des *Zauberberg*; vgl. Frischs Wendung "Tapferkeit des Chlorophylls" (Mon 625, Tb II 397), wo das Bewahren der grünen Hoffnungsfarbe gemeint ist. Folg. Zitat: Tb II 59.

119 Die Punkte zwischen den Feststellungen aus der "Viktor"-Perspektive sind als Auslassungszeichen zu lesen; wie der Briefwechsel mit dem Verlag belegt, hat Frisch die Typographie minutiös vorgeschrieben. Zitat unten: Brecht, GW IV, S. 656.

120 Vgl. Scholz-Petri S. 185ff. Daß ein "Wall" von der Wirklichkeit abschirmt, war ja dem Autor der CHINESISCHEN MAUER, wo bereits "Wirtschaftsführer" auftreten, sicher auffällig; zum luziferischen 'Blick von oben' vgl. z.B. Tb I 388.

121 Vgl. Erich Köhler, *Marcel Proust*, Göttingen: Vandenhoeck & Ruprecht [2]1967, S. 40ff.

122 Vgl. noch Db 538, 545.

123 Nachweise bei de Vin S. 303, Anm. 7; die Kontinuität zeigt sich etwa in der Kritik und Würdigung der Landesausstellung von 1939: "Was mir damals nicht auffiel: der dezente Geruch von Blut- und-Boden – helvetisch" (Db 572), vgl. MFW 58.

124 Vgl. GW I, S. 154f. u. Db 559f.

125 Vgl. Gsteiger S. 119ff.; Frischs Animosität reicht natürlich in die Debatte mit Emil Staiger, aus der sich der "Zürcher Literaturstreit" (ebd. S. 117ff.) entwickelte, zurück, vgl. GW V, S. 464 die Attacke auf Staigers "schlichte" Liedpoetik – empfahl dieser doch jene "übernommene Sprache" (S. 462), die er sich als Goetheforscher selbst angeeignet hatte. – Zum "Wall" s. Anm. 120.

126 Aus: DIE SCHWEIZ ALS HEIMAT, GW VI, S. 514f. Zuvor: Tb I 491.

127 Vgl. dazu den, im Anhang von Schmids Buch veröffentlichten Briefwechsel mit Max Frisch. Zitat: GW V, S. 517.

128 GW V, S. 362f.; das Titelzitat zuvor gehört zur Rezension der Keller-Studie von Adolf Muschg, dessen Werk den Zitat- und Motivzusammenhang zu dem Max Frischs sucht; erschienen in: *Der Spiegel* v. 1. 8. 1977. Vgl. Pender S. 36ff.

129 GW VI, S. 509 (s. Anm. 126).

130 G Bienek S. 27, dann S. 29; dann: Ludwig Hohl, *Die Notizen*, Frankfurt: Suhrkamp 1981 (entstanden seit 1934, Frisch seit Anfang der vierziger Jahre bekannt, vgl. MFW 184ff.), S. 510.

131 Zitate aus Wielands "Vorbericht" zur *Geschichte des Agathon*, hier zit. nach Frühwald/Schmitz S. 103f.

132 Schröder, Tell S. 241.

133 Ebd.; die folgende Formel schon im STILLER S. 732, vgl. Tb I 473; in den sechziger Jahren aktuell in der Schweizer "Überfremdungs"-Debatte, vgl. FdT S. 323f. zu Frischs Beiträgen.

134 WT 408, vgl. 412; s.o. S. 53.

135 Vgl. MFW 235ff.; als Gefangener in einer "Hölle der Literatur" bezeichnet sich Don Juan bei seinem Auftritt in der 2. Fass. von ChM, S. 153.

136 Die "Erdverbundenheit" gehört ja zu den Schweizer Topoi, die Frisch schon im STILLER attackiert hatte, vgl. MFW 243ff. Folg. Zitat: Frühwald/Schmitz S. 105.

137 Zur 'Taufe' s.o. S. 14; vgl. das Spiel mit den urkundlichen Namensformen, z.B. WT 428. Zitat: W. Muschg, "Schiller - Die Tragödie der

Freiheit", in: *Schiller. Reden im Gedenkahr 1959*, hg. v. B. Zeller, Stuttgart: Klett 1961, S. 237.

138 G Bloch/Bussmann S. 27f.; s. Anm. 41.

139 Tb I S. 379; vgl. W. Stauffacher, "Langage et mystère", *Etudes germaniques* 20, 1965, S. 331–345.

140 Vgl. FdT S. 30ff. Zitat zuvor Schumacher S. 98, dazu FdT 352ff.

141 Tb II 20–38 (vgl. FdT 66ff.) – mit bezeichnender Schlußanspielung auf Tolstois "einseitige Lehre", die ja Ausgangspunkt der "Verhöre" ist (s. Anm. 110). Zur Deutung insges. vgl. von Matt. Folgende Zitate: Tb II 37, 28, 297, 92 – angelegt schon Tb I 595 u. 597.

142 Im Gespräch mit Eckermann am 6. Mai 1827.

143 Vgl. das Leitwort "Öffentlichkeit": Mon 624, 627, 635f. 657, 687, 695, 708, 719f. Vgl. zuvor vom Hofe.

144 Allerdings hat Frisch diese Tendenz von Richard Dindos Film akzeptiert, s. u. Zitat unten: Mon 633.

145 Vgl. Günter Blöcker u. Hans Schwab-Felisch, "Max Frischs Konfessionen", *Merkur* 29, 1975, S. 1179–1183.

146 MFW 27ff. skizziert die Entstehung dieses 'Mythos der Männlichkeit' beim jungen Frisch literarhistorisch – vgl. S. 31 den Terminus von Georg Simmel.

147 Zitate weist Bänziger S. 276ff. nach, sowie ausführlich: Heinz Gokkel, "'Montauk. Eine Erzählung'", *Duitse. Kroniek* 29, 1977, S. 41–56, vgl. Stauffacher. Die Überschriften der folgenden Abschnitte sind jeweils dem Buch von Philip Roth entnommen. Mon 651 u. das Zitat 726 verweisen weiterhin auf den New Yorker Autor Donald Barthelme.

148 Mon 725, s. Anm. 75. Zuvor vgl. *Oxford English Dictionary* s. v. "redeem" u. "doom" – Volksethymologie über das Synonym "deem"; Zitat Mon 624.

149 Vgl. St 753: "Wie verhält man sich unter einem Fluch?", aber auch das Thema des Dämonischen in HOMO FABER (dazu MFW 306f.) und MNG, s. u. S. 114. Der Name des Er/Ich wird nur einmal, in der Geschichte von W., S. 649, erwähnt.

150 S. Anm. 148, sowie oben S. 22f., schließlich Anm. 110 zum Thema "Sprache und Gewalt", dazu Mon 634f. die Zitate.

151 Mon 724, zuvor S. 741.

152 Mon 646, dann S. 627, dazu Jurgensen S. 264.

153 Formulierung Th. Manns, GW III, 9, dann Mon 631; zuvor vgl. Roth S. 87, der hier in einer ungebrochenen europäischen Erzähltradition des Fin de Siecle steht.

154 Zum Folgenden vgl. Mon 661, 712 – dort auch das Motiv des "erlösenden Wortes" (vorher v. a. St, vgl. MFW 275).

155 Mon 684, dann S. 674. Vgl. das Thema der "anderen Zeit" in Peter Handkes *Der kurze Brief zum langen Abschied*, st 172, Frankfurt:

Suhrkamp 1976, S. 25 (zuerst 1972; Mon 722 erwähnt "Peter Handke, 'Wunschloses *Unglück*', ein Text, der mir Eindruck macht".).

156 S. Anm. 154, dazu Anm. 169. Dann Mon 703, 709, 721, zum "Tod" vgl. 727, 751. Zur "Epiphanie" vgl. G. Fischer.

157 Vgl. die Reminiszenz Mon 709 an Thomas Manns "hermetische Erzählung" *Tod in Venedig*.

158 Roth S. 198, vgl. S. 55f.

159 Roth S. 87, dann Mon 627.

160 Dann S. 628 das STILLER-Zitat: "My greatest fear: Repetition", englisch verfremdet, wohl um das Thema "Reproduktion", wie es Hans Mayers STILLER-Studie inzwischen formuliert hatte, anklingen zu lassen, vgl. St 420. – Folgende Zitate: Mon 685, dann 689f., vgl. zum Motiv MFW 355, Anm. 31.

161 G. P. Knapp, "Noch einmal: Das Spiel mit der Identität. Zu Max Frischs 'Montauk'", in: Ders. (Hg.), Prosawerk, S. 302, folgendes Zitat S. 301. Zur Reflexion von Ich/Er-Position noch Müller-Salget, allgemein: G. Zeltner, "Das Ich ohne Gewähr" (Auszug aus dem Buch gleichen Titels bei Zimmermann S. 99–116); zum mit den Reflexionen Tb II 286ff. anhebenden Dialog mit Christa Wolf zum Thema vgl. meinen Aufsatz "Nachfolge auf eigenen Wegen", in: *Frischs Homo faber*, hg. v. W. S., Frankfurt: Suhrkamp 1983, S. 297.

162 Mon 624, dazu Roth S. 318; vgl. dann Feilchenfeldt S. 188.

163 Mon 671, 719, 749; vgl. DIE SCHWIERIGEN, GW I, S. 539: "erzählen will er, wie es ist, nichts weiter."

164 Roth S. 102, oben S. 245f., danach Mon 628.

165 Vgl. Roth S. 115ff.

166 Mon 661, s.u. S. 119. Zitate zuvor Roth S. 297 u. St 372.

167 S.o. S. 60 u. 62.

168 Mon 634 fährt fort: "Einzig die Frauen hoffen noch auf *Veränderung*" – dazu S. 676 über die Möglichkeit einer "neuen" Literatur, von Frauen geschrieben, vgl. Tb II S. 140 den auch bei einer feministischen Autorin wie Verena Stephan (*Häutungen*) belegten Topos von einer 'weiblichen Sprache'.

169 Vgl. Mon 747f., zuvor S. 683; Belege für die Gleichung Lynn-Hermes ebd. u. S. 680, 689, 709, s. Anm. 157.

170 Vgl. Mon 624, 635, die Verlagsthematik S. 625, dazu s. Anm. 143. Zum Folgenden vgl. P. Stephan S. 180 u. Feilchenfeldt S. 270.

171 S. Anm. 145.

172 Mon 734; im Vorklang zu dieser Szene, in DIE GROßE WUT DES PHILIP HOTZ, GW IV, S. 427 wird der Titel des "Dünndruck-Goethe" nicht erwähnt. Folgendes aus Goethes Gespräch mit Eckermann v. 30. März 1831.

173 Vgl. neben Kieser v.a. H. Steinmetz, *Max Frisch: Tagebuch, Drama, Roman*, Göttingen: Vandenhoeck & Ruprecht 1973, S. 8 u.ö. Zu Hf s.

Anm. 149. Zu den "wiederholten Spiegelungen", deren sich der alte Goethe im Rückblick auf sein Werk bewußt war, vgl. das gleichnamige Kapitel in: Gerhart Baumann, *Goethe. Dauer im Wechsel*, München: Fink 1977. Folg. Zitat: Tb I 716.

174 Vgl. Peter de Mendelssohn, *Von deutscher Repräsentanz*, München: Prestel 1972; der autorisierte Titel von Frischs jüngstem Essayband zitiert den alten Goethe, Thomas Mann und das erste TAGEBUCH, vgl. FdT S. 364f., sowie, zur Exiltradition, Feilchenfeldt S. 321ff.

175 Vgl. vorläufig Lore Toman, "Bachmanns 'Malina' und Frischs 'Gantenbein': zwei Seiten des gleichen Lebens", *Literatur und Kritik* 12, 1977, S. 274–278.

176 Steiger S. 272.

177 Ebd. S. 7.

178 MNG 127; dazu in den *Frankfurter Vorlesungen* Ingeborg Bachmanns (GW IV) das IV. Kapitel: "Der Umgang mit Namen".

179 Darauf weist Steigers textnahe Auslegung immer wieder hin; vgl. in *Das dreißigste Jahr* S. 100 die unverkennbare Anspielung auf Gottfried Benns Essay *Doppelleben*.

180 Vgl. St 415, dazu *Malina* S. 173. S. u. S. 153.

181 Vgl. *Malina* S. 46, 84f., dazu S. 276 über "Friedensspiele" als fortgesetzte "Kriegsspiele"; s. Anm. 95 zur 'Schachspiel'-Metapher.

182 Vgl. Steiger S. 66.

183 So Bernd Witte im *Kritischen Lexikon zur deutschsprachigen Gegenwartsliteratur* (hg. v. H. L. Arnold), S. 10.

184 Dies nach Dindo S. 43f. – Zumindest auf die Bachmann-Nachfolge Christa Wolfs, zuletzt mit ihrer *Kassandra*-Erzählung, muß hier verwiesen werden.

185 *Malina* S. 135, dazu s. o. S. 55 die Kleiderkaufszene in MNG.

186 *Malina* S. 62ff., vgl. die Anspielung Mon 715 "Königstochter", sowie in MNG 210ff. die "Contessa"-Episode. Zur utopisch-adventistischen Funktion des Märchens vgl. das Kap. XXVII von Ernst Blochs *Das Prinzip Hoffnung*. Zum "Exil" s. Anm. 133, 174; Mon 672 u. das Gedicht von I. B., GW I, S. 153, sowie meine Johnson-Mon. S. 78ff., 102ff.

187 *Malina* S. 248; s. o. S. 62f. zu MNG. "Mörder Zeit": GW IV, S. 231; in *Ein Schritt nach Gomorrha* (s. u. S. 151f.) wird Sprache als "Mordversuch an der Wirklichkeit" (GW II, S. 208) erfahren.

188 Witte (s. Anm. 183), S. 10.

189 Vgl. GW II, S. 103: "Wäre ich nicht in die Bücher getaucht, in Geschichten und Legenden, in die Zeitungen, die Nachrichten, wäre nicht alles Mitteilbare aufgewachsen in mir, wäre ich ein Nichts, eine Versammlung unverstandener Vorkommnisse. [...] Gebt zu, daß ihr nur ein von den Alten möbliertes Land bewohnt, daß eure Ansichten nur gemietet sind, gepachtet die Bilder eurer Welt." Dazu St 535ff. und die Beitr. v. H. Mayer u. W. Frühwald in Mb St,

190 S. 94; s. o. S. 110; dann S. 108.
191 Vgl. MFW 247 f.; Zitat zuvor S. 102, dazu s. o. S. 61.
192 So Frisch zu SANTA CRUZ in GW II, S. 77; zum 'Unfall' s. o. S. 22, bes. auch den Kontrast in der SKIZZE EINES UNGLÜCKS. Zitat zuvor S. 112.
193 Vgl. W. Gebhard, *'Der Zusammenhang der Dinge'. Weltgleichnis und Naturverklärung im Totalitätsbewußtsein des 19. Jahrhunderts*, Tübingen: Niemeyer 1984 zu dieser Wahrheitsmetapher in "realistischer" Literatur.
194 Vgl. MFW 291 zum Hf.
195 S. Anm. 100; gerade in der Beurteilung der Kriegserfahrung reflektieren Frischs und Ingeborg Bachmanns Werke die Stufungen der "Neutralität" ihres jeweiligen Vaterlands. Natürlich vernachlässigen wir hier die bewußt österreichische Traditionslinie, wie sie die Hinweise auf Stifter (S. 127) und Kant (S. 112), dem sich die dortige philosophische Tradition verpflichtet weiß, bei Ingeborg Bachmann fortführen.
196 S. o. die Konzeption des "Doppellebens" in *Malina*; die zeitkritische Dimension schon Tb I 444 u. 629.
197 Vgl. den Aufsatz von Karen Achberger bei Höller.
198 Vgl. Tb I 584. Die, schon in Th. Manns *Tod in Venedig* topische Literarisierung des Konfessionellen (s. auch Anm. 251) entspricht der zunehmenden Betonung des protestantischen Erbes in Frischs Werk, vgl. G. Fischer S. 491, dem Ingeborg Bachmann eine "katholische Welt" der Poesie kontrastiert, vgl. S. 227, 231.
199 S. 232 'China'; S. 248 ff. Stillers Suche nach der eigenen "Wahrheit"; Zitat S. 226, dazu Tb I 741 und MNG 18.
200 Zur Tradition vgl. meinen Kommentar zu Fouques *Undine* in: *Meistererzählungen der deutschen Romantik*, hg. v. Albert Meier u. a., München: dtv 1985.
201 Witte (s. Anm. 183), S. 2 f.; dazu meine Johnson-Monographie S. 78 ff.
202 S. o. S. 29 f.; dazu die Nachweise MFW 397, Anm. 17 zu Frischs Gleichsetzung von Schreib- und Eheerfahrung.
203 I. B., *Undine geht*, GW II, S. 262.
204 St 683, vgl. S. 662 ("Gesang der Sirenen" – den ästhetischen Aspekt), MFW 130 u. o. S. 18 zum elementarmythischen 'Wasser'-Bild. Frisch integriert die 'Geschichte' dieser Liebe in den Motivkomplex 'Paris' (s. Anm. 221) über ein Figurenzitat aus ChM in Mon 673: "Inconnue de la Seine"; damit ist Lynn gemeint, die "Undine" 'ohne Geschichte'; unmittelbar darauf setzt, mit der 'Paris'-Reminiszenz die Entfaltung des 'Bachmann-Mythos' ein; das Schicksal der "Inconnue" bleibt die naturhafte Geschichtslosigkeit einer "Wasserleiche" (GW III, S. 138), in die sich die Geliebte des 'Spielers' Don Juan verwandelt und die in MNG nur noch "beinah" die Exitenzalternative erreicht: "Abzuschwimmen ohne Geschichte." (S. 319)
205 So Max Frisch bei Dindo S. 93 f. Das folgende Zitat mit seltsamen

Anklängen an den Roman DIE SCHWIERIGEN von 1943 (GW I, S. 478f.) aus einer Stellungnahme Frischs im Sonderheft: "Triumph der Frau" von *magnum* (57, Nov. 1965). Dann: Bachmann, GW III, 138.

206 Dindo S. 87, dann die Filmsequenz S. 70.

207 Goethe, Bd. 3, S. 480; zuvor S. 378.

208 Vgl. über die Faszination des Dramas in Mon 662, dazu die Belege MFW S. 357, Anm. 45 – vor allem GW IV, S. 454.

209 Vgl. K. R. Mandelkow, *Goethe im Urteil seiner Kritiker,* Bd. I, München: Beck 1975, S. XLIXff.

210 Goethe, Bd. 3, S. 360. Vgl. Albert Langen, *Dialogisches Spiel. Formen und Wandlungen des Wechselgesangs in der deutschen Dichtung (1600–1900)*, Heidelberg: Winter 1966, S. 138ff.); entsprechend bilden Zitate aus Ingeborg Bachmanns Werken ein Anspielungsfeld in MONTAUK (s. Anm. 147), vgl. bes. das *Gedicht*-Zitat aus *Tage in Weiß* (GW I, S. 112): Mon 710.

211 Zu Goethes Konzept der "Chiffre" vgl. die "Noten und Abhandlungen", Bd. 3, S. 484ff.; zu seiner "Vorstellung von einer idealen Lesergemeinde" vgl. K. Mommsen, in: *Seminar* 10, 1974, S. 1–18.

212 Zur „Wahrnehmung des Körpers", die nur noch eine "dünne Gegenwart" zuläßt, wenn Hermes erscheint, vgl. Mon 628, 680 u. bes. 685.

213 Gelüftet hat es bekanntlich erst Hermann Grimm; zur Bettinen-Rezeption im Kontext der Goethe-Kritik des "Jungen Deutschland" vgl. Wulf Wülfing, "Zur Mythisierung der Frau im Jungen Deutschland", *ZfdPh* 99, 1980, S. 569ff.

214 Zitat oben aus: Klaus Lankheit, *Das Triptychon als Pathosformel*, Heidelberg: Winter, S. 11; die beiden folgenden aus einem Brief Frischs an mich v. 1. 8. 1978, bzw. dem Klappentext der Buchausgabe, zu erst in meinem Aufsatz S. 417, aus dem ich hier einige Passagen übernehme. Zur Dramaturgie vgl. G. Contat.

215 Vgl. GW II, S. 448f.

216 So Max Frisch in der Sendung "Apropos Triptychon" des ORF v. 22. 10. 1982; dann Tb II 229; zur Kontinuität des Themas seit dem BIN vgl. von Matt S. 602f.; zur literarhistorischen Aktualität: Th. Anz, "Der schöne und der häßliche Tod", in: Richter/Schönert (Hg.), S. 409–432, bes. 410f.

217 Vgl. hierzu meinen Aufs. S. 411ff.

218 Durch Gewalt kamen um: Xaver, der Pilot, Jonas, der Sträfling, der Bankbeamte. Der Polizist und der Sträfling übten Gewalt aus (vgl. S. 78). Die Freundschaft zwischen Proll und Luchsinger (der den Namen eines NZZ-Chefredakteurs trägt) scheiterte am Antikommunismus des Kalten Krieges, Katrins Rollenprobleme sind Schwierigkeiten einer Frau "in unserer Gesellschaft" (S. 43). Peter von Becker, "Die Wahrheit, die Rettung im letzten Bild?" *Theater heute* 1981, H. 3,

S. 17f. rechnet dies zu den "Gefälligkeiten": "schicker Schulfunk oder die Philosophie in der Boutique".

219 S. o. S. 22, sowie MNG S. 7f. u. 248ff. die Kernszene für das Filmszenarium ZÜRICH TRANSIT. Technik des Zitatreigens wie in ChM.

220 Vgl. S. 15. Folg. Zitat aus G Rüedi.

221 Vgl. Tb I 583f., dazu St 651f., sowie Tb II 118 u. zuvor Mon 684. Folgendes Zitat von Matt S. 604, dann aus Trip 115 sowie MNG 312. Der ursprüngliche Szenentitel "Place des Pyramides" betont den Zusammenhang von Rätsel (der Sphinx), 'Wahl' und 'Wahrheit', der schon im STILLER galt, vgl. MFW S. 275.

222 Butler S. 70. Dann Bachmann, *Malina* S. 264.

223 Vgl. G. Neumann, "Das Essen und die Literatur", *Literaturwissenschaftliches Jahrbuch* N.F. 23, 1982, bes. S. 188ff. zu Sprache u. Körper bei Kafka. Trotz der Kafka-Mode der fünfziger Jahre scheint sich Frisch erst seit einer Anregung durch Ingeborg Bachmann mit dessen Werk näher beschäftigt zu haben, vgl. auch Tb II 169.

224 S. Anm. 202, sowie Schröder S. 43ff.

225 Dazu jetzt den Fassungsvergleich in meinem Materialienband zu DON JUAN.

226 Vgl. zu weiteren Änderungen de Vin S. 200ff.

227 S. Anm. 221.

228 Vgl. MNG 78, sowie S. 199ff. die Szene mit Gantenbein als Fremdenführer.

229 Schon seit dem HOMO FABER benutzt Frisch als Quelle: Walter F. Otto, *Die Götter Griechenlands: Das Bild des Göttlichen im Spiegel des griechischen Geistes*, das 1974 in der 3. Aufl. vorliegt (zuerst: 1929). – Zum Vorigen s. Anm. 251.

230 Hf 199, vgl. Mon 685. Frischs Wertung (in einem Brief an Ed. Grasset v. 1. 11. 1958, wiederholt in der Anm. 251 erw. Rede), wonach hier "unbewußte Poesie" in der Rollenprosa entstehe, überzeugt uns nicht.

231 Sie sind schon BIN formuliert (vgl. GW I, 621): Nur, die sich im Leben sahen und hörten, nehmen sich in der Totenwelt wahr.

232 Vgl. Mon 676 u. bes. 711.

233 G Raddatz. Vgl. *Monte Verità* S. 175ff. u. zu A. Schulthess die Mon. v. J. Lüscher (1972).

234 Interview, s. Anm. 216.

235 Vgl. S. 45f., 123.

236 Vgl. FdT 69 zu Brechts Gedicht, Zitate zuvor: G Zimmermann S. 45, dann GW II, S. 43.

237 So der Übersetzungstitel von Thornton Wilders *The Skin of Our Teeth*.

238 Zu Frischs Verhältnis zu Günter Eich vgl. FdT S. 96ff.

239 J. P. Sartre, *Was ist Literatur?*, rde 65, Reinbek: Rowohlt 1958, S. 129ff. – Dann: Höller S. 135.

240 So der Werbetext in der Suhrkamp-Programmvorschau, der – den Ge-

pflogenheiten des Hauses entsprechend – zumindest als autorisiert gelten muß, wahrscheinlich sogar auf Notizen Frischs zurückgeht. Die Distanz zu Wilders kosmologischer Gelassenheit, die das Einzelleben übersteigt, läßt sich hier ermessen; in NUN SINGEN SIE WIEDER hatte sich Frisch die Haltung Wilders noch zum Vorbild genommen.

241 Bachmann, GW I, S. 49; dann ebd. S. 37. Zum Verhältnis Frisch-Andersch vgl. FdT 123ff.

242 Büchner S. 256, vgl. GW IV, S. 233 – Butler vergleicht schlüssig mit dem *Lenz*. Dann W. Benjamin, *Ursprung des deutschen Trauerspiels*, Frankfurt: Suhrkamp 1969, S. 182f. Vgl. weiter: R. Grimm, "Eiszeit und Untergang. Zu einem Motivkomplex in der deutschen Gegenwartsliteratur", *Monatshefte* 73, 1981, S. 155–186. Zum Schlußbild: A. Stephan S. 140f.

243 Zum "Idealismus" von Frischs politischer Position vgl. Lengborn S. 166ff.

244 Vgl. MFW S. 52–57; das Zitat aus Hohls *Notizen* in Frischs Rez., FdT 13.

245 S. Anm. 118 u. 174; Zitat zuvor: Mon 654.

246 Vgl. St 726, die Parallele in Ho s.o. Zuvor vgl. St 627; dann: D. Saalmann, "Die Funktion des Jugendstil-Motivs in Max Frischs Roman 'Stiller'", *ZfdPh* 98, 1979, S. 577–592.

247 Bl 62f., vgl. MFW 314f.

248 S. Anm. 110.

249 Bl 107, s.o. S. 80.

250 Ingeborg Bachmann, *Ein Schritt nach Gomorrha*, GW II, S. 212 (s.o. S. 120f.; zum 'Lilien'-Motiv s.u. S. 154).

251 St 660; zum 'Unglück' s.o. S. 22 Die säkularisiert-religiöse Problematik echten 'Heils' wird seit dem TRIPTYCHON wieder dringlich, vgl. FdT 144 u. "Der Arzt und der Tod – der Patient und der Tod. Rede an Ärztinnen und Ärzte", *FAZ* 5. 1. 1985.

252 Laut G Barak; vgl. Bl 100–104 mit dem Interview, das Dürrenmatt dem *Playboy* (1981, Nr. 1) gewährt hatte; zum Thema vorerst: W. Kohlschmidt, "Selbstrechenschaft und Schuldbewußtsein im Menschenbild der Gegenwartsdichtung. Eine Interpretation des 'Stiller' von Max Frisch und der 'Panne' von Friedrich Dürrenmatt", in: Mb St S. 180–194. – Klara Obermüller (in: *Die Weltwoche* v. 24. 3. 1982) teilt in der Überschrift ihres Artikels Frischs Arbeitstitel: "'Die Wahrheit und nichts als die Wahrheit'" mit und führt als Realanregung den Zürcher Skandalprozeß gegen einen Goldschmied aus Winterthur, Hans Keller, mit transvestitischen Neigungen an; der Angeklagte wurde freigesprochen. Wie man mit einem solchen Freispruch weiterlebe, schien dem Regisseur Krysztof Zanussi die zentrale Frage (vgl. die Buchveröffentlichung seiner Verfilmung, St 1191, Frankfurt: Suhrkamp 1985); dagegen: A. Stephan S. 143; vgl. G Hage.

253 S. Anm. 251; dazu Bl 152.

254 Vgl. die durch "Video" beobachtete Szene käuflicher 'Liebe' S. 77f. mit dem Tonband-'Verrat' in MNG 266ff. – Dann s.o. S. 119.

255 Mon 624; "üblich" ist ein Leitwort im HOMO FABER, zur Kamera s. Anm. 254 u. H. Hasters, "Das Kamera-Auge des Homo faber", *Diskussion Deutsch* 9, 1978, S. 375–387; eine "Fee" ist die Verführerin des Grafen Öderland, vgl. GW III, S. 13.

256 Steiner S. 119; der Klappentext (s. Anm. 240) bezieht sich denn auch (über das Märchen von Perrault hinaus) auf Bartoks Oper *In Blaubarts Burg*, die auch Steiner in den Mittelpunkt stellt.

257 Im Sinne des Stuttgarter Kreises um Max Bense, dem auch Helmut Heißenbüttel angehörte – die Position ist, seit der Debatte um "Konkrete Poesie", im zeitgenössischen Literaturgespräch akzeptiert.

258 Vgl. meinen Aufs. in Mb Hf, bes. S. 318ff. Zuvor Knopf u. Adelson S. 228–236.

259 Vgl. meine Johnson-Mon. S. 102ff., sowie den Anm. 161 erw. Aufs., bes. S. 318ff.

260 Vgl. MFW S. 116f.; selbst eine seriös angelegte Novalis-Monographie von H. Kurzke will den Autor als Vorläufer der "Alternativen Bewegung" empfehlen.

261 *Das Werk von Samuel Beckett. Berliner Colloquium*, hg. v. Hans Mayer u. Uwe Johnson, st 225, Frankfurt: Suhrkamp 1975, S. 20; ebd. S. 25 auch das folgende Johnson-Zitat. Beckett-Anleihen weisen Butler, P. Stephan S. 92ff., Petersen S. 181f. und – polemisch – von Becker (s. Anm. 218) nach.

262 Vgl. Tb I 507ff. u. s.o. S. 118. Die folgenden Zitate abermals aus Ihab Hassans Charakterisierung der "post-modernen Imagination" beim Berliner Becket-Colloquium (s. Anm. 261), S. 10 u. 12.

Literaturangaben

1. Werke von Max Frisch

Folgende Werke Frischs werden mit Sigle zitiert:

An	*Andorra. Stück in zwölf Bildern.* Frankfurt: Suhrkamp 1961. Hier: GW IV, S. 325–415.
Bin	*Bin oder Die Reise nach Peking.* Zürich: Atlantis Verlag 1945. Hier: GW I, S. 601–658.
Bl	*Blaubart. Eine Erzählung.* Frankfurt: Suhrkamp 1982.
ChM$^{1-4}$	*Die Chinesische Mauer. Eine Farce.* Sammlung Klosterberg, Schweizerische Reihe. Hg. v. Walter Muschg. Klosterberg, Basel: Verlag Benno Schwabe & Co. 1947 – 2. Fassung: Frankfurt: Suhrkamp Verlag 1955. Hier: M. F. *Stücke I.* Frankfurt: Suhrkamp Verlag 1962. S. 149–245. – 3. Fassung: unpubliziert. – 4. Fassung: Frankfurt: Suhrkamp Verlag 1972.
Db	*Dienstbüchlein.* st 205. Frankfurt: Suhrkamp 1974.
FdT	*Forderungen des Tages. Porträts, Skizzen, Reden 1943–1982.* Hg. v. Walter Schmitz. st 957. Frankfurt: Suhrkamp 1983.
Ho	*Der Mensch erscheint im Holozän. Eine Erzählung.* Frankfurt: Suhrkamp 1979.
MNG	*Mein Name sei Gantenbein. Roman.* Frankfurt: Suhrkamp 1964. Hier: GW V, S. 5–320.
GW	*Gesammelte Werke in zeitlicher Folge.* Hg. v. Hans Mayer unter Mitw. v. Walter Schmitz. Frankfurt: Suhrkamp 1976.
Mon	*Montauk. Eine Erzählung.* Frankfurt: Suhrkamp 1975. Hier: GW VI, S. 617–754.
St	*Stiller. Roman.* Frankfurt: Suhrkamp 1954. Hier: GW III, S. 359–780.
Trip	*Triptychon. Drei szenische Bilder.* Frankfurt: Suhrkamp 1978.
WT	*Wilhelm Tell für die Schule.* Frankfurt: Suhrkamp 1971. Hier: GW VI, S. 405–469.
Tb I	*Tagebuch 1946–1949.* Frankfurt: Suhrkamp 1950. Hier: GW II, S. 347–755.
Tb II	*Tagebuch 1966–1971.* Frankfurt: Suhrkamp 1972. Hier: GW VI, S. 5–404.

2. Gespräche mit Max Frisch

Die Sigle G mit dem Namen des Interviewers wird hier für Zitate verwandt.

Arnold, Heinz Ludwig, *Gespräche mit Schriftstellern*. München: Beck 1975. S. 9–73.

Barak, Jon, "Max Frischs Interviewed." *New York Times Book Review*, 19. 3. 1978.

Bienek, Horst, *Werkstattgespräche mit Schriftstellern*. 3. Aufl. München: dtv 1976. S. 23–37.

Bloch, Peter Andre u. Rudolf Bussmann, "Gespräch mit Max Frisch." in: P.A.B. u. E. Hubacher (Hg.), *Der Schriftsteller in unserer Zeit*, Bern: Francke 1972, S. 17–32.

Bloch, Peter Andre u. Bruno Schoch, "Gespräch mit Max Frisch." In: P.A.B. (Hg.). *Der Schriftsteller und sein Verhältnis zur Sprache dargestellt am Problem der Tempuswahl*. Bern: Francke 1971. S. 68–81.

Contat, Michel, "Max Frisch: la subversion par l'ériture." *Le Monde Dimanche*, 19. 9. 1982.

Fischer, Jens et al., "Rückzug auf die Poesie. Gespräch mit Max Frisch." *Evangelische Kommentare* 1974. S. 489–492.

Hage, Volker, "Nur noch das Artistische ist möglich." *FAZ*, 8. 10. 1983.

Kieser, Rolf, "An Interview with Max Frisch." *Contemporary Literature* 13, H. 1, 1972. S. 1–14.

Ossowski, Rudolf (Hg.), *Jugend fragt – Prominente antworten*. Berlin: Colloquium Verlag 1975. S. 116–135.

Raddatz, Fritz J., "Ich singe aus Angst – das Unsagbare. Ein Zeit-Gespräch mit Max Frisch." *Die Zeit*, 17. 4. 1981.

Rüedi, Peter, "Die lange Ewigkeit des Gewesenen. Max Frisch schrieb ein Stück vom Tod, das nicht gespielt wird." *Deutsche Zeitung*, 21. 4. 1978.

Waser, Georges, "Jedes Wort ist falsch und wahr. Der Schweizer Schriftsteller über den Sinn des Schreibens, sinnlose Geschichten, die Wahrheit und den Tod." *Rheinischer Merkur/Christ und Welt*, 2. 10. 1981.

Zimmer, Dieter E., "Noch einmal anfangen können. Ein Gespräch mit Max Frisch." *Die Zeit*, 22. 12. 1967.

Zimmermann, Arthur, "Polemik – Ein Gespräch mit Max Frisch." In: A.Z. (Hg.), S. 39–45.

3. Literarische und philosophische Quellen zu Werk und Werkkontext

Bachmann, Ingeborg, *Werke*. 4 Bde. Hg. v. Christine Koschel u.a. München: Piper 1978.

Benn, Gottfried, *Gesammelte Werke in vier Bänden*. Hg. v. Dieter Wellershoff. Wiesbaden: Limes 1958ff.

Brecht, Bertolt, *Gesammelte Werke in acht Bänden*, Frankfurt: Suhrkamp 1967.

Büchner, Georg, *Werke und Briefe*. München: dtv 1980.

Dindo, Richard, *"Max Frisch, Journal I–III" (eine filmische Lektüre der Erzählung "Montauk", 1974)*. Texte zum Schweizer Film. Zürich: Schweizerisches Filmzentrum 1981.

France, Anatole, *Blaubarts sieben Frauen und andere Erzählungen*, it 510, Frankfurt: Insel 1981.

Goethe, Johann Wolfgang, *Gedenkausgabe der Werke, Briefe und Gespräche*. Hg. v. Ernst Beutler. Zürich: Artemis 1949

Hohl, Ludwig, *Bergfahrt*. Frankfurt: Suhrkamp 1975.

Kafka, Franz, *Gesammelte Werke*. Hg. v. Max Brod. Frankfurt: Fischer 1950ff.

Mann, Thomas, *Gesammelte Werke in dreizehn Bänden*. Frankfurt: Fischer 1974.

Musil, Robert, *Der Mann ohne Eigenschaften*. (=) *Gesammelte Werke in Einzelausgaben I*. Hg. v. Adolf Frise. Hamburg: Rowohlt 1952.

Pirandello, Luigi, "Sechs Personen suchen einen Autor." In: *Spectaculum VI. Sieben moderne Theaterstücke*. Frankfurt: Suhrkamp 1963. S. 265–316.

–, *Mattia Pascal*. BS 517. Frankfurt: Suhrkamp 1976.

Roth, Philip, *My Life as a Man*. Corgi Books. London: Transworld 1976.

Schapp, Wilhelm, *In Geschichten verstrickt. Zum Sein von Mensch und Ding*. 2. Aufl. Wiesbaden: Heymann 1976.

4. Forschungsbeiträge zum Werk Max Frischs

Bänziger, Hans, "Leben im Zitat. Zu Montauk: ein Formulierungsproblem und dessen Vorgeschichte." In: Knapp (Hg.) 1978, S. 267–284.

Butler, Michael, "Reflections of Mortality: Max Frischs 'Triptychon'". *German Life and Letters* 33, 1979. S. 66–74.

–, "Die Dämonen an die Wand malen". *Text + Kritik* 47/48, 3. Aufl., 1983. S. 88–107.

Dahms, Erna, *Zeit und Zeiterlebnis in den Werken Max Frischs. Bedeutung und technische Darstellung*. Berlin: de Gruyter 1976.

De Vin, Daniel, *Max Frischs Tagebücher*. Köln: Böhlau 1977.

Eifler, Margret, "Max Frisch als Zeitkritiker", in: Knapp (Hg.), Bühnenwerk, S. 173–189.

Elm, Theo, "Schreiben im Zitat. Max Frischs Poetik des Vorurteils." *ZfdPh* 103, 1984. S. 225–243.

Federico, Joseph A., "The Hero as Playwright in Dramas by Frisch, Dürrenmatt und Handke." *German Life and Letters* 33, 1979. S. 166–176.

Frühwald, Wolfgang u. Walter Schmitz, *Max Frisch. "Andorra/Wilhelm Tell. Materialien, Kommentare*. München: Hanser 1977.

Geisser, Heinrich, *Die Entstehung von Max Frischs Dramaturgie der Permutation*. Bern: Haupt 1973.

Gockel, Heinz, *Max Frisch. "Gantenbein". Das offen-artistische Erzählen*. Bonn: Bouvier 1976.

Hanhart, Tildy, *Max Frisch: Zufall, Rolle und literarische Form*. Kronberg/Ts.: Scriptor 1976.

Häny, Arthur, *Die Dichter und ihre Heimat*. Bern: Francke 1978. S. 92–97.

Jurgensen, Manfred, *Max Frisch. Die Dramen*. 2. Aufl. Bern: Francke 1976.

–, *Max Frisch. Die Romane*. 2. Aufl. Bern: Francke 1976.

– (Hg.). *Frisch. Kritik – Thesen – Analysen*. Bern: Francke 1977.

Kieser, Rolf, *Max Frisch. Das literarische Tagebuch*. Frauenfeld: Huber 1975.

–, "Taking on Aristotle and Brecht: Max Frisch and His Dramaturgy of Permutation." In: E. R. Haymes (Hg.). *Theatrum Mundi. [...] Dedicated to Harold Lenz [...]*. München: Fink 1980. S. 185–197.

Kiernan, Doris, *Existenziale Themen bei Max Frisch. Die Existenzphilosophie Martin Heideggers in den Romanen "Stiller", "Homo faber" und "Mein Name sei Gantenbein"*. Berlin: de Gruyter 1978.

Knapp, Gerhard P. (Hg.), *Max Frisch. Aspekte des Prosawerks*. Bern: Lang 1978.

–, *Max Frisch. Aspekte des Bühnenwerks*. Bern: Lang 1979.

Knopf, Jan, "Verlust der Unmittelbarkeit. Max Frisch und die 'Neue Subjektivität'". *Orbis litterarum* 34, 1979, S. 146–169.

Lengborn, Thorbjürn, *Schriftsteller und Gesellschaft in der Schweiz. Eine Studie zur Behandlung der Gesellschaftsproblematik bei Zollinger, Frisch und Dürrenmatt*. Frankfurt: Athenäum 1972.

Mayer, Hans, "Ritter Blaubart und Andorra". *Die Zeit*, 23. 4. 1982.

Mayer, Sigrid, "'Biografie: Ein Spiel': Stiller und/oder Gantenbein auf der Bühne." In: Knapp (Hg.), S. 371–400.

[Mb An] W. Schmitz/E. Wendt (Hg.), *Frischs Andorra*. stm 2053. Frankfurt: Suhrkamp 1984.

[Mb St] W. Schmitz (Hg.), *Materialien zu Max Frisch "Stiller"*. 2 Bde. st 419. Frankfurt: Suhrkamp 1978.

[MFW] Walter Schmitz, *Max Frisch: Das Werk (1931–1961)*. Bern: Lang 1985.

Michel, Willy, "Poetische Transformation von Denkfiguren und ästetisches

Rollengeflecht. Max Frischs Roman 'Mein Name sei Gantenbein'." In: Ders. *Die Aktualität des Interpretierens*. Heidelberg: Quelle & Meyer 1978. S. 115–141.
Müller-Salget, Klaus, "Max Frischs 'Montauk' – eine Erzählung?" *ZfdPh* 97, 1978. SH S. 108–120.
Pender, Malcolm. *Max Frisch: His Work and its Swiss Background*. Stuttgart: Heinz 1979.
–, "'Das erfundene Beispiel': Max Frisch's Sketch 'Glück'." *Quinquereme* 3, 1980. H. 1. S. 33–46.
Petersen, Jürgen H., *Max Frisch*, SM 173. Stuttgart: Metzler 1978.
Profitlich, Ulrich, "Beliebigkeit und Zwangsläufigkeit. Zum Verhältnis von Frischs 'Schillerpreis-Rede' und 'Biografie'." *ZfdPh* 95, 1976. S. 509–526.
Pulver, Elsbeth, "Mut zur Unsicherheit. Zu Max Frischs 'Tagebuch 1966–1971'." In: Jurgensen (Hg.), S. 27–54.
Röntgen, Julius E. F., "Die Konzeption der Komödie bei Max Frisch." *Duitse Kroniek* 29, 1977, S. 65–78.
Schenker, Walter, *Die Sprache Max Frischs zwischen Mundart und Schriftsprache*. Berlin: de Gryter 1969.
Schiltknecht, Wilfred, "Notes sur Triptyque." *Etudes de Lettres* 1981, H. 4. S. 25–38.
Schmid, Karl, *Unbehagen im Kleinstaat. Untersuchungen über Conrad Ferdinand Meyer, Henri Frédéric Amiel, Jakob Schaffner, Max Frisch, Jakob Burckhardt*. 3. Aufl. Zürich: Artemis 1977.
Schmitz, Walter, "Zu Max Frisch: 'Triptychon. Drei szenische Bilder' (1978)." In: Knapp (Hg.) 1979. S. 401–424.
–, "Max Frischs 'Andorra' als Wirklichkeits- und als Erkenntnismodell." In: Harro Müller-Michaels (Hg.). *Deutsche Dramen. Interpretationen ... Band 2: Von Hauptmann bis Botho Strauß*. Königsstein/Ts.: Athenäum 1981. S. 112–136.
Scholz-Petri, Gisela, *Max Frisch. Zur Funktion von Natur und Politik in seinen Tagebüchern*. Darmstadt: Agora 1980.
Schröder, Jürgen, "Spiel mit dem Lebenslauf. Das Drama Max Frischs." ÜMF II. S. 29–74.
–, "'Wilhelm Tell für die Schule' als Max Frisch für die Schule." In: Knapp (Hg.) 1978. S. 237–248.
Schuhmacher, Klaus, *"Weil es geschehen ist". Untersuchungen zu Max Frischs Poetik der Geschichte*. Königstein/Ts.: Hain 1979.
Stauffacher, Werner, "'Diese dünne Gegenwart'. Bemerkungen zu 'Montauk'." In: Jurgensen (Hg.). S. 55–66.
–, "Die strukturale Funktion fremdsprachiger Elemente in Max Frischs 'Montauk'." *Etudes des lettres* 1981, H. 4. S. 39–48.
Stephan, Alexander, *Max Frisch*. München: Beck/edition text + kritik 1983.

Stephan, Peter, Dialog und Reflexion. Modelle intersubjektiver Beziehungen im Werk Max Frischs. Berlin, Diss. 1973.

[ÜMF] Th. Beckermann (Hg.), *Über Max Frisch*. Frankfurt: Suhrkamp 1971.

[ÜMF II] W. Schmitz (Hg.), *Über Max Frisch II*. Frankfurt: Suhrkamp 1976.

Van Praag, Charlotte, "Montagetechnik bei Max Frisch als Element der Verfremdung." *Etudes Germaniques* 34, 1979. S. 176–187.

Vom Hofe, Gerhard, "Zauber ohne Zukunft. Zur autobiographischen Korrektur in Max Frischs Erzählung 'Montauk'." *Euphorion* 70, 1976. S. 374–397.

Von Matt, Peter, "Max Frischs mehrfache Hadesfahrten." *Neue Rundschau* 89, 1978. S. 599–605.

–, "Frisch und die Entblößtheit des Bertolt Brecht." In: Ders., *... fertig ist das Angesicht. Zur Literaturgeschichte des menschlichen Gesichts*. München: Hanser 1983. S. 182–187.

Wolfschütz, Hans, Die Entwicklung Max Frischs als Erzähler von "Mein Name sei Gantenbein" aus gesehen. Salzburg, Diss. 1972.

Zimmermann, Arthur (Hg.), *Max Frisch*. Pro Helvetia Dossier. Bern: Zytglogge 1981.

5. Forschungsbeiträge zum Kontext

Adelson, Leslie A., *Crisis of Subjectivity. Botho Strauß's Challenge to West German Prose of the 1970's*. Amsterdam: Rodopi 1984.

Feilchenfeldt, Konrad, Deutschland und das literarische Exil der Deutschen während des Nationalsozialismus. München, Habil. 1979.

Gsteiger, Manfred (Hg.), *Die zeitgenössischen Literaturen der Schweiz*. München: Kindler 1974.

Höller, Hans (Hg.), *Der dunkle Schatten, dem ich schon seit Anfang folge. Ingeborg Bachmann – Vorschläge zu einer neuen Lektüre des Werks*. Wien: Löcker 1982.

Lübbe, Hermann, *Bewußtsein in Geschichten. Studien zur Phänomenologie der Subjektivität*. Freiburg: Rombach 1972.

Monte verità. Berg der Wahrheit. Lokale Anthropologie als Beitrag zur Wiederentdeckung einer neuzeitlichen sakralen Topographie. [Austellungkat. hg. v. Harald Szeemann]. Mailand: Electa Editrice 1980.

Pivcevic, Edo, *Von Husserl zu Sartre*. München: List 1972.

Richter, Karl u. Jörg Schönert (Hg.), *Klassik und Moderne. [...]. Walter Müller-Seidel zum 65. Geburtstag*. Stuttgart: Metzler 1983.

Rothenberg, Jürgen, "Der göttliche Mittler. Zur Deutung der Hermes-Figurationen im Werk Thomas Manns." *Euphorion* 66, 1972. S. 55–82.

Sandt, Lotti, *Mythos und Symbolik im Zauberberg von Thomas Mann*. Bern: Haupt 1979.

Schmeling, Manfred, *Das Spiel im Spiel. Ein Beitrag zur vergleichenden Literaturkritik*. Rheinfelden: Schäuble 1977.

Schmitz, Walter, *Uwe Johnson*. München: Beck/edition text + kritik 1984.

Schöne, Albrecht, "Zum Gebrauch des Konjunktivs bei Robert Musil." In: Jost Schillemeit (Hg.). *Deutsche Romane von Grimmelshausen bis Musil*. Interpretationen III. Frankfurt: Fischer Taschenbuch Verlag 1966. S. 290–318.

Steiger, Robert, *"Malina". Versuch einer Interpretation des Romans von Ingeborg Bachmann*. Heidelberg: Winter 1978.

von Wiese, Benno, "Die 'Bekenntnisse des Hochstaplers Felix Krull' als utopischer Roman." In: Beatrix Bludau et al. (Hg.), *Thomas Mann 1875–1975*. Frankfurt: Fischer 1977. S. 189–206.

Zeltner, Gerda, *Im Augenblick der Gegenwart. Moderne Formen des französischen Romans*. Frankfurt: Fischer Taschenbuch Verlag 1974.

Personenregister

Das Register soll den Anmerkungsapparat von weiteren Querverweisen entlasten; es enthält die Namen aller in Text und Anmerkungen erwähnten Personen, einschließlich der Autoren von Forschungsbeiträgen; letztere erscheinen kursiv. Ausgenommen sind Gesprächspartner von Max Frisch, sowie die Autoren von Nachschlagewerken. Gelegentlich wird ein Nachweis auch dann gegeben, wenn nicht ein Autorenname, sondern lediglich der Werktitel genannt wurde. Die Verweise auf Anmerkungen werden mit den entsprechenden Nummern gegeben; wird in der Anmerkung nur, etwa beim Zitatbeleg, ein im Text bereits angeführter Name wiederholt, so entfällt der eigene Verweis auf die Anmerkung.